H. P. LOVECRAFT
(1890-1937)

HOWARD PHILLIPS LOVECRAFT nasceu em Providence, Rhode Island, em 1890. A infância foi marcada pela morte precoce do pai, em decorrência de uma doença neurológica ligada à sífilis. O seu núcleo familiar passou a ser composto pela mãe, as duas tias e o avô materno, que lhe abriu as portas de sua biblioteca, apresentando-lhe clássicos como *As mil e uma noites*, a *Odisseia*, a *Ilíada*, além de histórias de horror e revistas pulp, que posteriormente influenciariam sua escrita. Criança precoce e reclusa, recitava poesia, lia e escrevia, frequentando a escola de maneira irregular em função de estar sempre adoentado. Suas primeiras experiências com o texto impresso se deram com artigos de astronomia, chegando a imprimir jornais para distribuir entre os amigos, como o *The Scientific Gazette* e o *The Rhode Island Journal of Astronomy*.

Em 1904, a morte do avô deixou a família desamparada e abalou Lovecraft profundamente. Em 1908, uma crise nervosa o afastou de vez da escola, e ele acabou por nunca concluir os estudos. Posteriormente, a recusa da Brown University também ajudou a agravar sua frustração, fazendo com que passasse alguns anos completamente recluso, em companhia apenas de sua mãe, escrevendo poesia. Uma troca de cartas inflamadas entre Lovecraft e outro escritor fez com que ele saísse da letargia na qual estava vivendo e se tornasse conhecido no círculo de escritores não profissionais, que o impulsionaram a publicar seus textos, entre poesias e ensaios, e a retomar a ficção, como em "A tumba", escrito em 1917.

A morte da mãe, em 1921, fragilizou novamente a saúde de Lovecraft. Mas, ao contrário do período anterior de reclusão, ele deu continuidade à sua vida e acabou conhecendo a futura esposa, Sonia Greene, judia de ؟؟؟ dona de uma loja de chapé؟؟؟ vecraft se mudou. Porém, ؟؟؟ por sucessivos problemas: a؟؟؟ ؟o conseguiam sustentar ؟؟؟

divorciaram. Após a separação, ele voltou a morar com as tias em Providence, onde passou os dez últimos anos de sua vida e escreveu o melhor de sua ficção, como "O chamado de Cthulhu" (1926), *O caso de Charles Dexter Ward* (1928) e "Nas montanhas da loucura" (1931).

A morte de uma das tias e o suicídio do amigo Robert E. Howard o deixaram muito deprimido. Nessa época, Lovecraft descobriu um câncer de intestino, já em estágio avançado, do qual viria a falecer em 1937. Sem ter nenhum livro publicado em vida, Lovecraft ganhou notoriedade após a morte graças ao empenho dos amigos, que fundaram a editora Arkham House para ver seu trabalho publicado. Lovecraft transformou-se em um dos autores cult do gênero de horror que flerta com o sobrenatural e o oculto, originário das fantasias góticas e tendo como precursor Edgar Allan Poe.

Livros do autor na Coleção **L&PM** POCKET:

O caso de Charles Dexter Ward
O chamado de Cthulhu e outros contos
O habitante da escuridão e outros contos
O medo à espreita e outras histórias
Nas montanhas da loucura e outras histórias de terror
A tumba e outras histórias

H. P. LOVECRAFT

O CASO DE CHARLES DEXTER WARD

Tradução de ANA MARIA CAPOVILLA

www.lpm.com.br

L&PM POCKET

Coleção **L&PM** POCKET, vol. 25

Texto de acordo com a nova ortografia.

Título original: *The Case of Charles Dexter Ward*

Este livro teve foi publicado pela L&PM Editores, em formato 14x21 cm, em 1988.
Primeira edição na Coleção **L&PM** POCKET: abril de 1997
Esta reimpressão: abril de 2023

Capa: Ivan Pinheiro Machado. *Ilustração*: iStock
Revisão: Carlos Saldanha e Renato Deitos
Tradução: Ana Maria Capovilla

ISBN 978-85-254-0626-2

L897c   Lovecraft, Howard Phillips, 1890-1937.
          O caso de Charles Dexter Ward / Howard Phillips Lovecraft; tradução de Ana Maria Capovilla. – Porto Alegre: L&PM, 2023.
         176 p. ; 18 cm. – (Coleção L&PM POCKET)

        1.Ficção norte-americana-policiais e suspense. I.Título. II.Série.

CDD 813.872
CDU 820.(73)-312.4

Catalogação elaborada por Izabel A. Merlo, CRB 10/329.

© da tradução, L&PM Editores, 1988

Todos os direitos desta edição reservados a L&PM Editores
Rua Comendador Coruja, 314, loja 9 – Floresta – 90220-180
Porto Alegre – RS – Brasil / Fone: 51.3225.5777 – Fax: 51.3221.5380
PEDIDOS & DEPTO. COMERCIAL: vendas@lpm.com.br
FALE CONOSCO: info@lpm.com.br
www.lpm.com.br

Impresso no Brasil
Outono de 2023

Sumário

Capítulo um
Um resultado e um prólogo / 7

Capítulo dois
Antecedente e horror / 20

Capítulo três
Uma pesquisa e uma evocação / 61

Capítulo quatro
Mutação e loucura / 95

Capítulo cinco
Pesadelo e cataclismo / 127

Capítulo um
Um resultado e um prólogo

1

De um hospital particular para doentes mentais, nas proximidades de Providence, em Rhode Island, desapareceu há pouco tempo uma pessoa extraordinariamente singular. Chamava-se Charles Dexter Ward e fora internado com grande relutância do pai, o qual, pesaroso, vira sua aberração transformar-se de mera excentricidade numa lúgubre obsessão que implicava a possibilidade de tendências assassinas e uma mudança peculiar de sua estrutura mental. Os médicos confessam-se bastante desconcertados com seu caso, pois apresenta singularidades de caráter fisiológico geral e, ao mesmo tempo, psicológico.

Em primeiro lugar, o paciente parecia estranhamente mais velho do que atestavam seus vinte e seis anos. É verdade que uma perturbação mental faz uma pessoa envelhecer depressa, mas o rosto desse jovem assumira uma aparência grácil que só os muito idosos normalmente adquirem. Em segundo lugar, seus processos orgânicos mostravam uma certa estranheza de proporções que não encontrava paralelo na experiência médica. A respiração e o funcionamento cardíaco tinham uma desconcertante falta de simetria, a voz sumira, a ponto de lhe ser impossível emitir qualquer som mais alto do que um sussurro, a digestão era incrivelmente prolongada e reduzida ao mínimo, e as reações nervosas aos estímulos comuns não tinham qualquer relação com tudo o que, normal ou patológico, fora antes registrado no passado. A pele era morbidamente fria e a estrutura celular do tecido parecia exageradamente áspera e frouxa. Até uma marca de nascença, grande e cor de oliva sobre o quadril direito, havia desaparecido e, ao mesmo tempo, formara-se sobre seu peito uma verruga muito peculiar, uma mancha enegrecida, da qual não havia sinal antes. Em geral, todos os médicos concordam que em Ward os processos metabólicos estavam retardados num grau inusitado.

Do ponto de vista psicológico, Charles Ward era singular. Sua loucura não tinha nenhuma afinidade com qualquer caso já registrado, inclusive nos tratados mais recentes e abrangentes, e se combinava a uma energia mental que o tornaria um gênio ou um líder não tivesse degenerado em formas estranhas e grotescas. O doutor Willett, o médico da família Ward, afirma que toda a capacidade mental do paciente, a julgar por sua reação às questões externas à esfera de sua insanidade, em realidade aumentara desde que adoecera. Ward, em verdade, sempre fora um estudioso e um apreciador de antiguidades; mas mesmo suas obras anteriores mais brilhantes não mostravam o prodigioso domínio e a profundidade revelados durante os exames a que os psiquiatras o submeteram. Em realidade, foi difícil conseguir sua internação legal no hospital, tão poderosa e lúcida parecia a mente do jovem, e somente as provas apresentadas por outras pessoas e a quantidade de lacunas anormais em seu cabedal de informações, em contraposição à sua inteligência, permitiram que ele fosse por fim internado. Na época de seu desaparecimento era um ávido leitor e um conversador tão grande quanto sua fraca voz lhe permitia, e observadores agudos, incapazes de prever sua fuga, prognosticavam que ele não demoraria muito a obter a autorização para sair do hospital.

2

Somente o doutor Willett, que trouxera ao mundo Charles Ward e acompanhara o desenvolvimento de seu corpo e espírito, parecia alarmado com a ideia de sua futura liberdade. Ele tivera uma terrível experiência e fizera uma terrível descoberta que não ousava revelar aos colegas céticos. Em realidade, Willett guarda para si um pequeno mistério em seu envolvimento com o caso. Ele foi a última pessoa a ver o paciente antes da fuga e saiu daquela derradeira entrevista num estado de horror misturado a alívio lembrado por muitos ao ser conhecida a fuga de Ward, três horas mais tarde. A fuga em si é um dos mistérios não solucionados do hospital do doutor Waite. Uma janela aberta sobre uma abrupta queda de vinte metros não a explicaria; contudo, após aquela conversa com Willett, o jovem inegavelmente desaparecera. O próprio Willett não tem explicações satisfatórias para oferecer, embora estranhamente seu espírito pareça mais aliviado do que antes da fuga. Muitos, em realidade, acham que ele gostaria de dizer mais coisas se acreditasse que um número considerável de pessoas lhe daria crédito. Encontrara Ward em seu quarto, mas, pouco depois que o médico saíra, os atendentes bateram em vão à porta. Ao abri-la, constataram que o paciente não estava lá e só encontraram a janela aberta através da qual uma brisa gélida de abril trouxe para dentro uma nuvem de fino pó cinza-azulado que quase os sufocou. É verdade que os cães uivaram algumas vezes antes, mas isto foi enquanto Willett ainda estava presente; os animais não pegaram nada e em seguida se acalmaram. O pai de Ward foi informado imediatamente por telefone, contudo pareceu mais entristecido do que surpreso. Quando o doutor Waite foi visitá-lo pessoalmente, o doutor Willett já havia conversado com ele e ambos negaram qualquer conhecimento ou cumplicidade na fuga. Só foi possível obter algumas indicações de poucos amigos íntimos de Willett e de Ward pai, e mesmo estas eram extremamente fantásticas para que se lhes pudesse dar crédito. O único fato concreto é que até o momento não foi descoberto nenhum vestígio do louco desaparecido.

Charles Ward amava as coisas antigas desde a infância e indubitavelmente adquirira essa predileção por causa da antiguidade da cidade em que vivia e pelas relíquias do passado que enchiam cada canto da velha mansão dos pais em Prospect Street, no cume da colina. Com o passar dos anos, sua paixão pelas coisas antigas aumentava de forma que história, genealogia e o estudo da arquitetura, do mobiliário e da arte colonial acabaram por ocupar totalmente sua esfera de interesses. É importante lembrar estas predileções ao analisar sua loucura, pois muito embora não constituam absolutamente seu cerne, desempenham um papel proeminente em sua forma superficial. As lacunas de informação detectadas pelos psiquiatras estavam todas relacionadas a assuntos modernos e invariavelmente eram contrabalançadas por um correspondente e excessivo, embora exteriormente disfarçado, conhecimento de assuntos do passado, revelado porém por um hábil interrogatório: de modo que se poderia imaginar que o paciente literalmente se transferira para uma época anterior por alguma obscura espécie de auto-hipnose. O estranho era que Ward não parecia mais interessado pelas coisas antigas que conhecia tão bem. Aparentemente, perdera o apreço por elas por causa da mera familiaridade, e todos os seus esforços recentes estavam obviamente voltados para o domínio dos fatos comuns do mundo moderno que se haviam apagado de maneira tão completa e inequívoca de seu cérebro. E ele se esforçava para esconder tal aniquilação, mas era claro para quem o observava que todo o seu programa de leituras e conversações era determinado por um frenético desejo de sorver os conhecimentos de sua própria vida e da formação cultural e prática comum do século XX que ele deveria possuir pelo fato de ter nascido em 1902 e de ter sido educado nas escolas do nosso tempo. Os psiquiatras perguntam-se agora, tendo em vista a destruição total de seu cabedal de informações, como o paciente fugitivo conseguira fazer frente ao complexo mundo dos nossos dias; e a opinião comum é que estaria se escondendo numa função humilde e discreta até que seu cabedal de informações modernas pudesse voltar ao nível normal.

O início da loucura de Ward constitui matéria de debate entre os psiquiatras. O doutor Lyman, a eminente autoridade de Boston, situa-o entre 1919 e 1920, o último ano que o rapaz cursara na Escola Moses Brown, quando subitamente se desviou do estudo do passado para o do oculto e recusou preparar-se para a universidade, alegando que tinha pesquisas pessoais muito mais importantes a realizar. Com certeza, isto foi uma decorrência da alteração dos hábitos de Ward na época, principalmente de sua busca contínua, nos registros da cidade e entre antigos cemitérios, de certa sepultura aberta em 1771: o túmulo de um ancestral chamado Joseph Curwen, do qual alegara ter encontrado certos papéis atrás dos lambris de uma casa muito antiga de Olney Court, em Stampers Hill, em que notoriamente Curwen havia vivido.

É inegável que no inverno de 1919-20 houve uma grande mudança em Ward; de fato, ele parou de repente suas atividades de antiquário, empreendendo uma investigação profunda no campo do ocultismo em seu país e no exterior, alternando-a apenas à busca estranhamente obstinada do túmulo do seu antepassado.

O doutor Willett, contudo, discorda substancialmente dessa opinião, baseando seu parecer no prolongado conhecimento íntimo do paciente e em algumas pesquisas e descobertas assustadoras feitas a seu respeito. Essas pesquisas e descobertas deixaram nele uma marca tão profunda que ao falar nelas sua voz treme e treme-lhe a mão ao escrever sobre elas. Willett admite que a mudança ocorrida em 1919-20 parece marcar o início de uma decadência progressiva que culminou na horrível, triste e misteriosa alienação mental de 1928, mas acredita, baseado na observação pessoal, que é preciso fazer uma distinção mais nítida. Reconhecendo que o rapaz sempre teve um temperamento pouco equilibrado e propenso a uma suscetibilidade e a um entusiasmo excessivos em suas reações aos fenômenos que o cercavam, ele se recusa a admitir que as primeiras mudanças marcam a passagem da razão à loucura; ao contrário, prefere acreditar na própria afirmação de Ward, de que descobrira ou redescobrira algo cujo efeito sobre o pensamento humano seria provavelmente maravilhoso e profundo.

A loucura verdadeira, ele tem certeza disso, apareceu com uma mudança posterior, depois do descobrimento do retrato e dos velhos papéis de Curwen; após uma viagem a estranhos lugares no exterior, após recitar certas terríveis invocações em estranhas e secretas circunstâncias; depois de obter claramente certas *respostas* a essas invocações e de redigir uma carta em condições angustiantes e inexplicáveis; depois da onda de vampirismo e dos infaustos boatos em Pawtuxet; e depois que a memória do paciente começou a excluir as imagens contemporâneas ao mesmo tempo em que sua voz falhava e seu aspecto físico ia sofrendo a sutil modificação que tantas pessoas mais tarde notaram.

Somente nessa época, salienta Willett com grande agudeza, o clima de pesadelo passou a ser inquestionavelmente associado a Ward e o médico, estremecendo de pavor, está seguro de que existem provas bastante concretas corroborando a afirmação do rapaz quanto à sua descoberta crucial. Em primeiro lugar, dois trabalhadores muito inteligentes viram os velhos papéis de Joseph Curwen quando ele os descobriu. Em segundo, o rapaz uma vez lhe mostrou tais papéis e uma página do diário de Curwen, e cada um dos documentos tinha toda a aparência de autenticidade. O buraco onde Ward afirmou tê-los encontrado é uma realidade visível e Willett tivera oportunidade de vê-los pela última vez e de modo bastante convincente num local em que ninguém acreditaria ou cuja existência talvez jamais seria provada. Depois havia os mistérios e as coincidências das outras cartas de Orne e Hutchinson e o problema da caligrafia de Curwen e daquilo que os detetives trouxeram à luz a respeito do doutor Allen; essas coisas e a terrível mensagem em cursivo medieval encontrada no bolso de Willett quando recuperou a consciência após sua experiência chocante.

E mais conclusivos do que tudo são os dois horrendos resultados obtidos pelo médico com certas fórmulas durante suas investigações finais; resultados que praticamente comprovaram a autenticidade dos papéis e de suas monstruosas implicações, ao mesmo tempo em que os tais papéis foram subtraídos para sempre do conhecimento humano.

3

É preciso considerar os primeiros anos da vida de Charles Ward como algo que pertence ao passado e às antiguidades que ele amava tão ardentemente. No outono de 1918, com uma considerável manifestação de entusiasmo pelo adestramento militar da época, ele ingressara no primeiro ano da Escola Moses Brown, que fica bem próxima de sua casa. O antigo edifício principal, erguido em 1819, sempre agradara seu gosto pelas coisas antigas; e o amplo parque no qual se localiza a Academia atraía sua predileção pela paisagem. Suas atividades sociais eram poucas e passava grande parte de seu tempo em casa, em caminhadas sem destino, nas aulas e deveres e na busca de dados arqueológicos e genealógicos na Prefeitura, na Assembleia Estadual, na Biblioteca Pública, na Sociedade Científica, na Sociedade Histórica, nas bibliotecas John Carter Brown e John Hay da Brown University e na Biblioteca Shepley, recentemente inaugurada em Benefit Street. Ainda é possível retratá-lo como era naquele tempo: alto, magro, loiro, olhos atentos e ligeiramente curvo, trajado de maneira um tanto negligente. A impressão predominante era de inócua falta de jeito mais que de encanto pessoal.

Suas caminhadas eram sempre aventuras pelo mundo do passado, durante as quais ele tentava recapturar as miríades de relíquias de uma fascinante cidade antiga, um retrato vivo e coerente de outros séculos. Sua casa era uma grande mansão georgiana no topo da colina bastante íngreme que se ergue a leste do rio, e das janelas posteriores ele olhava atordoado a multidão de pináculos, cúpulas, telhados e topos de arranha-céus da cidade baixa até as colinas em tons violeta nos campos distantes, ao fundo. Aqui ele nascera e do belo pórtico clássico na fachada de tijolos entre as duas janelas salientes a babá o conduzia para o primeiro passeio de carrinho; em frente à pequena casa branca da fazenda de duzentos anos, que há muito a cidade absorvera, em direção às imponentes escolas ao longo da rua suntuosa, cujas antigas mansões quadradas de tijolos e casas menores de madeira de pórticos estreitos com pesadas colunas dóricas pareciam sonhar, sólidas e exclusivas em meio aos seus generosos parques e jardins.

Havia sido conduzido também ao longo da sonolenta Congdon Street, um patamar abaixo na colina íngreme e com todas as suas casas a leste sobre altos terraços. As pequenas casas de madeira em geral eram mais antigas aqui, pois ao crescer a cidade fora subindo por esta colina. Nesses passeios ele absorvera um pouco da cor de uma pitoresca aldeia colonial. A babá costumava parar e sentar-se nos bancos de Prospect Terrace para conversar com os guardas; e uma das primeiras lembranças da criança era o imenso mar de nebulosos telhados, cúpulas, campanários e colinas distantes a ocidente, que vira numa tarde de inverno daquele grande terraço com balaustrada, violeta e místico contra um pôr de sol apocalíptico, de febris tons vermelhos, ouro, púrpura e curiosos verdes. A imensa cúpula de mármore da

Assembleia destacava-se com sua maciça silhueta, a estátua do topo aureolada fantasticamente por um rasgo na camada de nuvens matizadas que barravam o céu chamejante.

Quando ele cresceu, começaram suas famosas caminhadas; primeiro com a babá, arrastada com impaciência, e depois sozinho em sonhadora meditação. Ele se aventurava cada vez mais longe, descendo a colina quase perpendicular, alcançando os planos mais antigos e pitorescos da cidade velha. Hesitava cautelosamente descendo a vertical Jenckes Street com seus muros posteriores e frontões coloniais até a esquina da sombria Benefit Street, onde se erguiam dois portões antigos com colunas jônicas; ao seu lado, um telhado pré-histórico com mansarda, as ruínas de um primitivo quintal de fazenda e a imensa casa do juiz Durfee, com vestígios do fausto georgiano. Isto aqui estava se tornando um cortiço, mas os olmos titânicos espalhavam uma sombra restauradora sobre o lugar e o menino costumava dirigir-se para o sul – pelas longas fileiras de casas da época pré-revolucionária com suas grandes chaminés centrais e portais clássicos. Do lado oriental, elas se erguiam sobre porões com dois lances de degraus de pedra ladeados por balaústres de ferro, e o jovem Charles as imaginava como eram quando a rua era nova e saltos vermelhos e perucas adornavam os frontões pintados cujos sinais de deterioração já se tornavam tão visíveis.

A oeste, a colina despencava quase tão verticalmente como acima, até a velha "Town Street" que os fundadores haviam projetado à beira do rio em 1636. Aqui estendiam-se inúmeras vielas com casas amontoadas, apoiadas umas às outras, antiquíssimas; embora fascinado, demorou muito até ousar palmilhar sua arcaica verticalidade, temeroso de que não passassem de um sonho ou o introduzissem a terrores desconhecidos. Achava muito menos ameaçador prosseguir por Benefit Street em frente às grades de ferro que cercavam o escondido cemitério da Igreja St. John e a parte posterior de Colony House, de 1761, e a massa da

Golden Ball Inn, reduzida a ruínas, onde Washington se hospedara. Em Meeting Street – chamada sucessivamente Gaol Lane e King Street em outras épocas – ele costumava olhar para cima, em direção ao oriente, e contemplar os lances curvos de degraus com os quais a estrada subia a encosta, e depois para baixo, a ocidente, vislumbrando o antigo edifício colonial de tijolos da escola, que sorri do outro lado da rua sob a antiga tabuleta com a Cabeça de Shakespeare, onde o *Providence Gazette and Country-Journal* era impresso antes da Revolução. Vinha então a bela Primeira Igreja Batista de 1775, faustosa, com seu incomparável campanário de Gibbs, e ao seu redor os telhados georgianos e as cúpulas como que suspensos no ar. Aqui e para o sul o bairro se tornava mais bonito, desabrochando finalmente num maravilhoso grupo de mansões primitivas. Mas as vetustas vielas ainda conduziam ladeira abaixo a oeste, espectrais no arcaísmo de suas inúmeras cúspides, mergulhando numa orgia de decadência iridescente onde o antigo porto de odores repulsivos lembra os gloriosos tempos das Índias Orientais entre sordidez e vícios poliglotas, desembarcadouros podres, velaria indistinta e nomes de ruas sobreviventes como Packet, Bullion, Gold, Silver, Coin, Doubloon, Sovereign, Guilder, Dollar, Dime e Cent.

Às vezes, à medida que ia crescendo e se tornava mais afoito, o jovem Ward se aventurava lá embaixo naquele turbilhão de casas trôpegas, bandeiras de janelas quebradas, degraus arrebentados, balaustradas retorcidas, rostos trigueiros e odores indefiníveis; virando de South Main para South Water, vasculhando as docas onde os vapores ainda atracavam na baía e voltando em direção ao norte para este terraço inferior, passando pelos armazéns de tetos muito inclinados de 1816 e a ampla praça na Great Bridge; aqui o edifício do Mercado de 1773 ainda se ergue firme sobre seus antigos arcos. Naquela praça ele costumava parar para contemplar a fantástica beleza da cidade velha sobre o penhasco oriental, coberta de cúspides georgianas e coroada pela imensa e nova cúpula da Christian Science, assim como Londres é coroada pela cúpula de São Paulo. Agradava-lhe extremamente chegar a este local no fim da tarde, quando os raios inclinados do sol inundam de ouro o edifício do mercado e os antigos telhados e campanários na colina e mergulham em sua magia os desembarcadouros sonolentos onde os navios de Providence, procedentes das Índias, costumavam fundear. Após uma longa contemplação sentia o atordoamento de sua paixão de poeta por aquela paisagem, e então escalava a encosta em direção à sua casa, no crepúsculo, passando pela antiga igreja branca, subindo pelas ruas íngremes onde brilhos amarelos começavam a surgir nas janelas de pequenas vidraças e através das bandeiras das portas, lá no alto, sobre lances duplos de escadas com curiosas balaustradas de ferro trabalhado.

Em outras épocas, e nos últimos anos, ele costumava procurar contrastes vivos; realizando parte da caminhada pelos bairros coloniais em ruínas a noroeste de sua casa, onde a colina desce abruptamente até a elevação inferior de Stampers Hill com seu gueto e o bairro negro apertando-se ao redor da praça da qual a diligência de Boston costumava partir antes da Revolução, e a outra parte na graciosa região meridional das ruas George, Benevolent, Power e Williams, onde a velha encosta guarda intocadas as belas propriedades e trechos de jardins cercados por muros e vielas íngremes e verdes, nas quais perduram inúmeras e fragrantes memórias. Estas perambulações, juntamente com os estudos diligentes que as acompanhavam, com certeza são responsáveis pela quantidade de conhecimentos sobre arqueologia que no fim povoavam o mundo moderno na mente de Charles Ward e mostram o terreno espiritual sobre o qual caíram, naquele inverno fatal de 1919-20, as sementes brotadas daquela estranha e terrível fruição.

O doutor Willett está certo de que, até aquele malfadado inverno em que ocorreu a primeira mudança, a paixão de Charles Ward pela arqueologia não tinha qualquer sinal de morbidez. Os cemitérios não tinham para ele nenhuma atração particular além de seu exotismo e seu valor histórico, e ele estava totalmente isento de tudo que se assemelhasse a violência ou instintos selvagens. Foi então que, numa progressão insidiosa, pareceu desenvolver uma curiosa sequela de um dos seus triunfos genealógicos do ano anterior, quando descobrira entre seus ancestrais maternos um indivíduo que teve vida muito longa, chamado Joseph Curwen, que para lá se mudara vindo de Salem em março de 1692 e em torno do qual sussurrava-se uma série de boatos extremamente peculiares e inquietantes.

O tataravô de Ward, Welcome Potter, casara-se em 1785 com certa "Ann Tillinghast, filha de Eliza, filha do capitão James Tillinghast", de cuja paternidade a família não preservara qualquer vestígio. No final de 1918, examinando um volume de registros manuscritos originais da cidade, o jovem genealogista encontrou um assentamento descrevendo uma mudança legal de nome, pelo qual uma senhora Eliza Curwen, viúva de Joseph Curwen, retomava, juntamente com a filha Ann, de sete anos de idade, o nome de solteira Tillinghast; alegando "que o nome de seu marido se tornara opróbrio público em razão do que se soubera após seu falecimento; confirmando um antigo boato, que não deveria ser levado em conta por uma esposa leal enquanto não se comprovasse que estava acima de qualquer dúvida". Este assentamento veio à luz pela separação acidental de duas folhas cuidadosamente coladas uma a outra para parecerem uma só após uma trabalhosa verificação dos números das páginas.

Ficou imediatamente claro para Charles Ward que havia de fato descoberto um tetravô até então desconhecido. A descoberta o emocionou duplamente porque já havia ouvido vagas histórias e observado alusões esparsas relacionadas a essa pessoa sobre a qual restavam tão poucos registros publicamente disponíveis, além daqueles só conhecidos nos tempos modernos, que quase parecia existir uma conspiração para apagá-la da memória. A descoberta, além disso, era de uma natureza tão singular e excitante que não se poderia deixar de pensar no que os escrivães coloniais estavam tão ansiosos por ocultar e esquecer, ou suspeitar que a passagem fora suprimida por razões totalmente válidas.

Antes disso, Ward contentara-se em deixar adormecida sua fascinação pelo velho Joseph Curwen; mas, ao descobrir seu parentesco com esse personagem sobre o qual se preferia silenciar, passou a perseguir da maneira mais sistemática possível tudo o que podia achar a seu respeito. Nessa agitada busca, ele acabou alcançando um sucesso superior às suas expectativas mais ousadas, pois velhas cartas, diários e pilhas de livros de memórias não publicadas encontrados nas águas-furtadas cheias de teias de aranhas de Providence e de outros lugares continham muitas passagens esclarecedoras que seus autores não haviam achado necessário destruir. Uma informação acidental surgiu até mesmo num lugar tão distante como Nova York, onde uma correspondência da época colonial de Rhode Island estava guardada no Museu de Fraunces' Tavern. A coisa realmente crucial, entretanto, e o que na opinião do doutor Willett constituiu a causa definida da desgraça de Ward, foi o material encontrado em agosto de 1919 atrás dos lambris de madeira da casa semidestruída de Olney Court. Foi aquilo, sem sombra de dúvida, que escancarou as visões negras cujo fim era mais profundo do que o inferno.

Capítulo dois
Antecedente e horror

1

Joseph Curwen, segundo revelaram as vagas lendas ouvidas ou descobertas por Ward, era um indivíduo extremamente assombroso, enigmático, sombriamente horrível. Ele fugira de Salem para Providence – o abrigo universal dos excêntricos, dos homens livres e dos dissidentes – no início do grande pânico da bruxaria, temendo ser acusado por causa de seus hábitos solitários e de suas curiosas experiências químicas e alquimistas. Era um homem de aspecto insignificante, de cerca de trinta anos de idade; logo foi considerado digno de se tornar um cidadão de Providence; adquiriu então um lote para habitação ao norte daquele de Gregory Dexter, aproximadamente no início de Olney Court. Sua casa foi construída em Stampers Hill a oeste de Town Street, na parte que mais tarde se chamaria Olney Court, e em 1761 a substituiu por outra maior, no mesmo local, que ainda está de pé.

A primeira coisa estranha em Joseph Curwen era o fato de que ele não parecia mais velho do que era na época de sua chegada. Ingressou no negócio dos transportes marítimos, adquiriu alguns desembarcadouros nas proximidades de Mile-End Cove, ajudou a reconstruir a Great Bridge em 1713 e a Igreja Congregacional sobre a colina; mas sempre conservava o aspecto indefinível de um homem não muito acima dos trinta ou trinta e cinco anos. Com o passar das décadas, esta característica singular começou a despertar grande atenção, mas Curwen sempre a explicava dizendo que descendia de antepassados vigorosos e levava uma vida simples que não o desgastava. De que maneira tal simplicidade poderia se conciliar com as inexplicáveis idas e vindas do comerciante e com estranhos brilhos em suas janelas a todas as horas da noite não era muito claro para as gentes da cidade, que estavam propensas a atribuir outras razões à sua perene juventude e longevidade. A maioria acreditava que isto teria muito a ver com incessantes misturas e cocção de substâncias químicas. Diziam os boatos que ele mandava vir estranhas substâncias de Londres e das Índias em seus navios ou as adquiria em Newport, Boston e Nova York, e quando o velho doutor Jabez Bowen chegou de Rehoboth e abriu sua loja de boticário do outro lado da Great Bridge com o Unicórnio e o Almofariz na tabuleta sobre a porta, houve intermináveis falatórios a respeito das drogas, ácidos e metais que o taciturno recluso continuamente comprava ou encomendava. Supondo que Curwen possuísse uma assombrosa e secreta habilidade de médico, muitos que sofriam de várias doenças recorriam a ele, mas embora parecesse encorajar sua convicção, ainda que de modo cauteloso, e sempre lhes desse poções de cores estranhas para atendê-los, observava-se que as coisas que ele ministrava aos outros raramente eram eficazes. Finalmente, quando mais de cinquenta anos haviam se passado desde a chegada do forasteiro, sem produzir uma mudança de mais de cinco anos em seu rosto e físico, as pessoas começaram a murmurar de maneira ainda mais insistente e atender quase totalmente ao desejo de isolamento que ele sempre manifestara.

Cartas pessoais e diários da época revelam também uma profusão de outras razões pelas quais Joseph Curwen era olhado com estranheza, temido e, no fim, evitado como a peste. Sua paixão pelos cemitérios, nos quais era visto a todas as horas e com qualquer tempo, era notória, embora ninguém tivesse presenciado qualquer ato de sua parte que pudesse de fato ser definido como vampiresco. Ele possuía uma fazenda na Pawtuxet Road, na qual costumava morar durante o verão e para a qual frequentemente podia ser visto dirigir-se a cavalo nas horas mais estranhas do dia e da noite. Aqui, seus únicos empregados, trabalhadores braçais e guardas, eram dois taciturnos índios da tribo Narragansett: o marido mudo e com curiosas cicatrizes, e a mulher com uma expressão extremamente repulsiva, talvez devido a uma mistura com sangue negro. Num anexo dessa casa ficava o laboratório onde era realizada a maior parte das experiências químicas. Carregadores e carroceiros que entregavam garrafas, sacos ou caixas nas portas traseiras da casa bisbilhotavam e trocavam relatos sobre os fantásticos frascos, crisóis, alambiques e fornalhas que viam no quarto baixo cheio de prateleiras, e profetizavam em sussurros que o calado "quimista" – querendo dizer "alquimista" – não demoraria a descobrir a Pedra Filosofal. Os vizinhos mais próximos à sua fazenda – os Fenners, distantes um quarto de milha – tinham coisas ainda mais fantásticas para contar a respeito de certos sons que, afirmavam, vinham da casa de Curwen à noite. Eram gritos, diziam, e uivos prolongados, e eles não gostavam da grande quantidade de gado que invadia os pastos, porque essa quantidade não era necessária para suprir um velho solitário e pouquíssimos empregados com carne, leite e lã. A identidade do gado parecia mudar de semana a semana quando novos rebanhos eram comprados dos fazendeiros de Kingstown. E depois também havia algo extremamente detestável com relação a um grande edifício de pedra, pouco distante da casa, com estreitas fendas em lugar das janelas.

Os desocupados da Great Bridge tinham muito para comentar sobre a casa de Curwen na cidade, em Olney Street; não tanto a casa nova, bonita, construída em 1761, quando o homem devia ter aproximadamente um século, mas a primeira, baixa, o telhado com água-furtada, sem janelas, revestida de tábuas, cujo madeiramento ele tomou a peculiar precaução de queimar após a demolição. Aqui havia menos mistério, é verdade, mas as horas nas quais as luzes eram vistas, o ar furtivo dos dois forasteiros morenos que constituíam a única criadagem masculina, os horríveis e indistintos murmúrios da governanta francesa incrivelmente velha, a grande quantidade de comida que era vista entrar por uma porta atrás da qual viviam apenas quatro pessoas e a *qualidade* de certas vozes ouvidas frequentemente em conversas abafadas em horas totalmente inadequadas, tudo isto combinava com o que se sabia da fazenda Pawtuxet para conferir ao lugar uma péssima fama.

Mesmo nos círculos mais seletos a residência de Curwen não deixava de ser comentada; pois, à medida que o recém-chegado se introduzira na igreja e no ambiente dos negócios da cidade, travara naturalmente conhecimento com pessoas da melhor espécie, cuja companhia e conversação estava bastante apto a apreciar. Sabia-se que nascera de boa família, porque os Curwens de Salem não precisavam de apresentação na Nova Inglaterra. Soube-se que Joseph Curwen viajara muito na juventude, que vivera um tempo na Inglaterra e fizera pelo menos duas viagens ao Oriente; e sua conversação, quando se dignava usá-la, era a de um inglês instruído e culto. Mas, por alguma razão, Curwen não se importava com a sociedade. Embora em realidade ele jamais recebesse mal um visitante, sempre erguia um muro de reserva tão grande que poucos conseguiam dizer-lhe alguma coisa que não soasse tola.

Em seu comportamento parecia haver sempre à espreita uma certa arrogância enigmática, sardônica, como se, tendo convivido entre estrangeiros e homens mais poderosos, tivesse concluído que todos os seres humanos eram obtusos. Quando o doutor Checkley, famoso por sua sabedoria, chegou de Boston em 1738 para se tornar o reitor da King's Church, não deixou de visitar alguém a cujo respeito tanto ouvira falar; mas saiu pouco depois por ter percebido algo sinistro nas conversas de seu anfitrião. Charles Ward disse a seu pai, quando discutiam sobre Curwen numa noite de inverno, que daria tudo para saber o que o misterioso velho teria dito ao brilhante clérigo, mas todos os diários concordam quanto à relutância do doutor Checkley em repetir algo daquilo que ouvira. O bom homem ficara terrivelmente chocado e jamais conseguira lembrar de Joseph Curwen sem perder, de maneira evidente, a jovial cortesia que o tornara famoso.

No entanto, mais definida era a razão pela qual outro homem de refinamento e berço evitava o arrogante ermitão. Em 1746, o senhor John Merritt, um idoso cavalheiro inglês, com tendências literárias e científicas, chegou de Newport a cidade que já a superava rapidamente em prestígio e construiu uma bela casa de campo no Neck, no que é hoje o coração da zona residencial. Ele vivia com considerável estilo e conforto, era proprietário da primeira carruagem e de criados de libré da cidade, orgulhando-se grandemente de seu telescópio, microscópio e de sua seleta biblioteca de livros ingleses e latinos. Ouvindo falar de Curwen como o proprietário da melhor biblioteca de Providence, o senhor Merritt lhe fez logo uma visita e foi recebido de modo mais cordial do que muitos outros visitantes da casa haviam sido. Sua admiração pelas amplas estantes do anfitrião, as quais, ao lado dos clássicos gregos, latinos e ingleses exibiam uma notável bateria de obras filosóficas, matemáticas e científicas, incluindo Paracelsus, Agrícola, Van Helmont, Sylvius, Glauber, Boyle, Boerhaave, Becher e Stahl, levou Curwen a sugerir uma visita à casa da fazenda e ao laboratório para onde jamais havia convidado quem quer que fosse antes; e os dois partiram imediatamente na carruagem do senhor Merritt.

O senhor Merritt sempre confessou não ter visto nada de realmente horrível na casa da fazenda, mas afirmou que os títulos dos livros da biblioteca especial sobre assuntos taumatúrgicos, alquimistas e teológicos, que Curwen mantinha numa sala da frente, foram suficientes para inspirar-lhe uma aversão duradoura. Entretanto, foi talvez a expressão do rosto do proprietário ao exibi-los que contribuiu em grande parte para esse preconceito. Essa bizarra coleção, além de uma miríade de obras comuns que o senhor Merritt não se sentiu excessivamente alarmado em lhe invejar, abrangiam quase todos os cabalistas, demonólogos e mágicos conhecidos, e era um reservatório de tesouros do saber nos duvidosos reinos da alquimia e astrologia. Hermes Trismegisto na edição de Mesnard, a *Turba Philosopharum,* o *Liber Investigationis* de Geber; e *A Chave da Sabedoria de* Artephous; estavam todos lá, com o cabalístico *Zohar,* a série *Albertus Magnus* de Peter Jamm, Ars *Magna et Ultima* de Raymond Lully na edição de Zetzner, *Thesaurus Chemicus* de Roger Bacon, *Clavis Alchimiae* de Fludd, *De Lapide Philosophico* de Tritêmio, um ao lado do outro. Os judeus e árabes medievais estavam representados em profusão e o senhor Merritt ficou pálido quando, ao retirar da estante um lindo volume com o título vistoso de *Qanoon- é-Islam,* descobriu tratar-se em verdade do proibido *Necronomicon* do louco árabe Abdul Alhazred, a cujo respeito ouvira sussurrar coisas monstruosas, alguns anos antes, após a descoberta de ritos abomináveis na estranha aldeiazinha de pescadores de Kingsport, na Província de Massachusetts-Bay.

Mas, curiosamente, o digno cavalheiro confessou-se perturbado de modo mais indefinível por um detalhe insignificante. Sobre a imensa mesa de mogno jazia virado para baixo um exemplar de Borellus, gasto pelo uso, trazendo muitas notas misteriosas escritas à mão por Curwen ao pé da página e entre as linhas. O livro estava aberto mais ou menos no meio e um parágrafo exibia riscos tão grossos e trêmulos debaixo das linhas em místico gótico antigo que o visitante não resistiu à tentação de examiná-las atentamente. Ele não soube dizer se foi a natureza do trecho sublinhado ou a forma febril dos traços com que estava marcado, mas algo nessa combinação o impressionou de um modo muito profundo e peculiar. Lembrou-o até o fim da vida e o transcreveu de memória em seu diário. Uma vez tentou recitá-lo ao seu amigo, doutor Checkley, até notar quão profundamente aquilo perturbava o polido vigário. O trecho dizia:

> "Os sais essenciais dos animais podem ser preparados e preservados de modo que um homem engenhoso pode ter toda a Arca de Noé em seu próprio escritório e fazer surgir a bela forma de um animal das cinzas deste a seu bel-prazer; e, pelo mesmo método, dos sais essenciais do pó humano, sem criminosa necromancia, um filósofo pode fazer reviver a forma de qualquer ancestral falecidodas cinzas em que seu corpo se tornou".

Era, contudo, perto das docas, ao longo da parte meridional de Town Street, que se murmuravam as piores coisas a respeito de Joseph Curwen. Os marujos são gente supersticiosa e os calejados lobos-do-mar que constituíam a tripulação das inúmeras corvetas que traficavam com rum, escravos e melado, dos esbeltos navios corsários e dos grandes brigues dos Browns, Crawfords e Tillinghasts, todos faziam sinais estranhos e furtivos de esconjuro quando viam a figura magra e enganadoramente jovem, com os cabelos amarelecidos, ligeiramente curva, entrando nos armazéns Curwen em Doubloon Street ou conversando com capitães e comissários de bordo sobre os longos molhes aos quais atracavam incessantemente os navios de Curwen. Os próprios capitães e caixeiros de Curwen o odiavam e temiam e todos os seus marinheiros eram mestiços, um rebotalho da Martinica, Santo Eustáquio, Havana ou Port Royal. De certo modo, era a frequência com a qual esses marujos eram substituídos que inspirava o aspecto mais concreto e mais agudo do medo que o velho suscitava. Ocorria que uma tripulação tinha licença para ir à cidade e alguns de seus membros eram encarregados de levar alguma encomenda; terminada a licença, quando a tripulação voltava a se reunir, quase certamente um ou outro homem estaria faltando. Muitos não podiam deixar de observar que diversas das encomendas diziam respeito à fazenda de Pawtuxet Road e que eram poucos os marinheiros que haviam sido vistos voltar daquele local. Assim, com o tempo, ficou extremamente difícil para Curwen manter aquela malta estranhamente sortida. Quase sempre muitos desertavam tão logo ouviam os boatos nos molhes de Providence e sua substituição nas Índias Ocidentais tornou-se um problema cada vez maior para o comerciante.

Em 1760, Joseph Curwen era praticamente um proscrito, suspeito de vagos horrores e demoníacas alianças que pareciam mais ameaçadoras pelo fato de não poderem ser definidas, compreendidas ou mesmo comprovadas. A última gota foi talvez o caso dos soldados desaparecidos em 1758, pois em março e abril daquele ano dois regimentos reais a caminho da Nova França aquartelaram-se em Providence e inexplicavelmente registrou-se um número de deserções muito superior à média. Os boatos insistiam na frequência com a qual Curwen costumava ser visto conversando com os estrangeiros de casaca vermelha; como vários deles começaram a desaparecer, as pessoas pensaram em episódios semelhantes ocorridos com seus próprios marujos. Ninguém pode dizer o que teria acontecido se os regimentos não tivessem recebido ordem de prosseguir.

Enquanto isso, os negócios do comerciante prosperavam em terra. Ele praticamente detinha o monopólio do comércio da cidade em salitre, pimenta preta e canela, e ultrapassava qualquer outra empresa de navegação, com exceção dos Browns, na importação de produtos de latão, índigo, algodão, lã, sal, cordas, ferro, papel e artigos ingleses de todo gênero. Comerciantes como James Green, no estabelecimento com a tabuleta do Elefante em Cheapside, os Russells, do estabelecimento Águia Dourada, do outro lado da Great Bridge, ou Clark e Nightingale, de A Frigideira e o Peixe, perto da Nova Casa de Café, dependiam quase totalmente dele para seus estoques; e seus negócios com os destiladores locais, os fabricantes de laticínios, os criadores de cavalos Narragansett e os fabricantes de velas de Newport tornavam-no um dos mais importantes exportadores da Colônia.

Embora fosse posto no ostracismo, não lhe faltava certo espírito cívico. Quando a Colony House foi destruída por um incêndio, ele contribuiu generosamente para as loterias graças às quais a nova casa de tijolos, que ainda existe na antiga Main Street, pôde ser construída em 1761. Naquele mesmo ano, ele contribuiu ainda para a reconstrução da Great Bridge depois do furacão de outubro. Adquiriu muitos livros para a biblioteca pública para substituir os que haviam sido consumidos no incêndio da Colony House e fez vultosa contribuição para a loteria que permitiu pavimentar com grandes pedras redondas e uma calçada central ou "passeio" a enlameada Market Parade e a Town Street, cheias de sulcos profundos. Por volta dessa época, também, construiu a nova casa, simples porém excelente, cujo portão constitui uma obra-prima de entalhes em madeira. Quando os partidários de Whitefield romperam com a igreja do doutor Cotton, sobre a colina, em 1743, e fundaram a igreja Deacon Snow, do outro lado da Great Bridge, Curwen fora com eles, embora seu zelo e frequência logo diminuíssem. Agora, entretanto, mais uma vez dava mostras de devoção, como para dissipar as sombras que o haviam atirado no isolamento e que em breve, se não fossem prontamente detidas, começariam a arruinar o sucesso dos seus negócios.

A vista desse homem estranho, pálido, que no aspecto mal tocava a meia-idade, embora certamente não contasse menos de um século, tentando finalmente emergir de uma nuvem de medo e abominação, demasiado vaga para ser definida ou analisada, era uma coisa ao mesmo tempo patética, dramática e desprezível. Tal é, entretanto, o poder da riqueza e dos gestos exteriores que, na verdade, a visível aversão a seu respeito diminuiu um pouco; principalmente depois que os repentinos desaparecimentos dos seus marinheiros cessaram abruptamente. Do mesmo modo, começou talvez a usar de extremo cuidado e sigilo em suas expedições aos cemitérios, porque nunca mais foi apanhado nessas peregrinações, ao passo que diminuíam proporcionalmente os comentários sobre os sons e manobras misteriosas em sua fazenda de Pawtuxet. O volume do consumo de alimentos e a substituição do gado continuaram anormalmente elevados; mas jamais até os tempos modernos, quando Charles Ward examinou uma pilha de contas e faturas na Biblioteca Shepley, ocorreu a alguém – salvo talvez a um jovem angustiado – fazer tenebrosas comparações entre o grande número de negros da Guiné que ele importara até 1766 e a quantidade perturbadoramente pequena daqueles para os quais ele podia apresentar notas de venda a comerciantes de escravos da Great Bridge ou aos plantadores de Narragansett Country. Com certeza, a astúcia e engenhosidade desse detestado personagem eram misteriosamente profundas quando se convenceu da necessidade de utilizá-las.

Mas é claro que o efeito dessa tardia regeneração foi necessariamente leve. Curwen continuava a ser evitado e detestado, como, em realidade, o simples fato de mostrar constantemente um aspecto jovem numa idade avançada bastaria para justificar; e ele percebia que seu sucesso provavelmente acabaria sendo prejudicado por isso. Seus estudos e experiências elaboradas, quaisquer que fossem, exigiam aparentemente uma vultosa renda para serem realizados; e como uma mudança de ambiente o privaria da posição que alcançara com seus negócios, não seria vantajoso para ele, a essa altura, começar de novo num lugar diferente. O bom-senso exigia que ele melhorasse de algum modo suas relações com os cidadãos de Providence, de modo que sua presença deixasse de ser motivo de conversas a meia voz, de evidentes desculpas de serviços a fazer em outro lugar e de uma atmosfera geral de embaraço e mal-estar. Seus empregados, reduzidos agora a um rebotalho inepto e indigente que ninguém mais contrataria, davam-lhe muitas preocupações; e só conservava seus capitães e imediatos pela astúcia, tentando ganhar algum tipo de ascendência sobre eles – uma hipoteca, uma nota promissória ou uma informação muito útil para seu bem-estar. Em muitos casos, os autores dos diários registraram com certo espanto, Curwen mostrava quase o poder de um bruxo desenterrando segredos de família para utilizá-los de modo questionável. Nos últimos cinco anos de sua vida, parecia que só uma conversa direta com os defuntos poderia fornecer as informações que ele exibia com tanta facilidade.

Mais ou menos nessa época, o astuto estudioso encontrou um último desesperado expediente para reconquistar sua posição na comunidade. Até então um completo ermitão, resolveu contrair um vantajoso matrimônio, tomando como esposa alguma dama cuja posição indiscutível tornasse impossível qualquer forma de ostracismo contra seu lar. Talvez ele também tivesse razões mais profundas para desejar uma aliança, razões tão alheias à esfera cósmica conhecida que somente os papéis encontrados um século e meio após sua morte alguém suspeitaria delas; mas jamais será possível saber algo seguro a esse respeito. Naturalmente, ele tinha consciência do horror e da indignação com os quais um cortejamento de sua parte seria recebido, portanto, procurou uma candidata provável sobre cujos pais ele pudesse exercer uma pressão adequada. Descobriu que não era fácil encontrar tais candidatas, pois ele tinha exigências muito particulares em matéria de beleza, habilidades e posição social. Finalmente, sua pesquisa se restringiu à casa de um dos seus melhores e antigos capitães, um viúvo de berço e reputação sem mácula chamado Dutie Tillinghast, cuja única filha, Eliza, parecia dotada de todas as virtudes concebíveis, salvo a perspectiva de se tornar uma herdeira. O capitão Tillinghast era totalmente dominado por Curwen e consentiu, após uma tempestuosa entrevista em sua casa ornada por uma cúpula na colina de Power's Lane, em sancionar a aliança blasfema.

Eliza Tillinghast tinha naquela época dezoito anos de idade e havia sido educada do modo mais digno que as condições limitadas de seu pai permitiam. Frequentara a escola Stephen Jackson, em frente à Court House Parade, e havia sido diligentemente instruída pela mãe, antes que esta morresse de varíola, em 1757, em todas as artes e refinamentos da vida doméstica. Um mostruário de seus trabalhos, realizado em 1753, aos nove anos de idade, ainda pode ser visto nos salões da Sociedade Histórica de Rhode Island. Após a morte da mãe, ela passara a dirigir a casa, auxiliada apenas por uma velha negra. A discussão com o pai sobre a proposta de casamento de Curwen deve ter sido bastante penosa, mas não existe qualquer registro dela. Certo é que seu noivado com o jovem Ezra Weeden, imediato do paquete *Enterprise* de Crawford, foi devidamente desfeito e sua união com Joseph Curwen realizada no dia 7 de março de 1763, na Igreja Batista, na presença de uma das mais distintas assembleias de que a cidade podia se vangloriar; a cerimônia foi celebrada pelo mais jovem dos Winsons, Samuel. O *Gazette* mencionou o evento muito brevemente e na maioria das cópias remanescentes a nota em questão parece ter sido cortada ou rasgada. Ward descobriu uma única cópia intacta, após muitas buscas, nos arquivos de um famoso colecionador particular, observando com deleite a total inexpressão da polida linguagem:

> "Na tarde da última segunda-feira, o senhor Joseph Curwen, dessa Cidade, Comerciante, casou-se com a senhorita Eliza Tillinghast, filha do capitão Dutie Tillinghast, uma jovem que soma real merecimento a uma bela Pessoa, para honrar o Estado conjugal e perpetuar sua Felicidade".

A correspondência Durfee-Arnold, descoberta por Charles Ward pouco depois de sua primeira suposta crise de loucura na coleção particular de Melville F. Peters, de George Street, referente a este período e a outro um pouco anterior, lança viva luz sobre o ultraje perpetrado contra o sentimento público por essa união disparatada. A influência social dos Tillinghasts, entretanto, não podia ser negada; e mais uma vez Joseph Curwen viu sua casa frequentada por pessoas que de outra forma ele jamais poderia induzir a transpor-lhe os umbrais. Jamais, porém, ele foi completamente aceito, e sua esposa sofria socialmente pela forçada união; mas, em todo caso, reduzira-se significativamente a possibilidade de maior ostracismo. No tratamento para com a esposa o estranho noivo maravilhava a ela e à comunidade mostrando uma delicadeza e consideração extremas. A nova casa em Olney Court agora estava livre de manifestações perturbadoras e embora Curwen se ausentasse muitas vezes para ir à fazenda Pawtuxet, que sua esposa jamais visitou, parecia um cidadão normal mais do que em qualquer outro momento de seus longos anos de residência. Apenas uma pessoa conservava uma aberta inimizade com ele, o jovem oficial da marinha cujo noivado com Eliza Tillinghast havia sido tão abruptamente rompido. Ezra Weeden jurara vingança e, embora de temperamento em geral pacífico e calmo, tinha agora um propósito pertinaz, inspirado pelo ódio, que não pressagiava nada de bom para o marido e usurpador.

No dia 7 de maio de 1765 nasceu Ann, a única filha de Curwen, e foi batizada pelo reverendo John Graves da King's Church, da qual marido e mulher haviam se tornado membros pouco depois do casamento a fim de chegar a um compromisso entre suas respectivas filiações às igrejas Congregacional e Batista. O registro desse nascimento, bem como o do casamento dois anos antes, foi apagado da maioria das cópias da igreja e dos anais da cidade onde deveria constar, e Charles Ward o localizou com a maior dificuldade depois que a descoberta da mudança do nome da viúva lhe revelara seu próprio parentesco, fazendo despontar o interesse febril que culminara com sua loucura. Em realidade, a anotação do nascimento foi encontrada, curiosamente, através da correspondência com os herdeiros do legalista doutor Graves, que levara consigo uma cópia dos registros quando deixara seu cargo de pastor ao eclodir a Revolução. Ward tentara essa fonte porque sabia que sua trisavó, Ann Tillinghast Potter, havia pertencido à Igreja Episcopal.

Pouco depois do nascimento da filha, acontecimento ao que parece por ele recebido com um entusiasmo enormemente contrastante com sua frieza habitual, Curwen resolveu posar para um retrato. Este foi pintado por um escocês de grande talento chamado Cosmo Alexander, então residente em Newport e posteriormente famoso por ter sido o primeiro professor de Gilbert Stuart. O retrato teria sido executado sobre um painel da parede da biblioteca da casa de Olney Court, mas nenhum dos dois velhos diários que o mencionam fornecia qualquer indicação de seu paradeiro final. Nesse período, o excêntrico estudioso mostrava sinais de abstração incomum e passava a maior parte do tempo na fazenda de Pawtuxet Road. Segundo diziam, ele parecia viver num estado de excitação ou ansiedade reprimidas, como se aguardasse algo fenomenal ou estivesse prestes a fazer alguma estranha descoberta. A química ou a alquimia pareciam desempenhar um papel significativo a esse respeito, porque levou da casa para a fazenda o maior número de livros sobre o assunto.

Sua afetação de interesse cívico não diminuiu e ele não perdia a oportunidade de ajudar líderes como Stephen Hopkins, Joseph Brown e Benjamin West em seus esforços visando elevar o nível cultural da cidade, na época bastante inferior ao de Newport no patrocínio das belas-artes. Ele ajudara Daniel Jenckes a abrir sua livraria em 1763, tornando-se a partir de então seu melhor cliente. Estendeu sua ajuda também à *Gazette,* que lutava com dificuldades e saía todas as quartas-feiras na oficina sob a tabuleta da Cabeça de Shakespeare. No campo da política, ele apoiava fervorosamente o governador Hopkins contra o partido de Ward, cuja maior força estava em Newport, e seu discurso realmente eloquente em Hatcher's Hall, em 1765, contra o estabelecimento de North Providence como cidade autônoma com um voto a favor de Ward na Assembleia Geral, contribuiu mais do que qualquer outra coisa para acabar com o preconceito contra ele próprio. Mas Ezra Weeden, que o mantinha sob uma vigilância cerrada, escarnecia de toda essa atividade exterior e afiançava que não passava de uma fachada para algum tipo de tráfico inominável com os mais negros abismos do Tártaro. O jovem, determinado a se vingar, começou um estudo sistemático do homem e de seus atos sempre que se encontrava no porto; passava horas à noite pelos cais com um pequeno barco a remos de prontidão quando via luzes nos armazéns de Curwen e seguia a pequena embarcação que vez por outra – se afastava ou chegava furtivamente na baía. Também vigiava tanto quanto possível a fazenda Pawtuxet e uma vez foi gravemente mordido pelos cachorros que o velho casal de índios soltara em cima dele.

2

Em 1766 verificou-se a mudança final em Joseph Curwen. Ocorreu repentinamente e obteve ampla notoriedade entre os curiosos cidadãos, pois o ar de suspense e expectativa caiu como uma capa velha, dando imediatamente o lugar a uma maldisfarçada exaltação de perfeito triunfo. Curwen parecia ter dificuldades em frear o impulso de fazer arengas públicas sobre aquilo que havia descoberto, aprendido ou feito; mas aparentemente a necessidade de sigilo era maior do que o desejo de compartilhar seu regozijo, pois jamais ofereceu qualquer explicação. Foi após essa transição, ocorrida ao que parece no início de julho, que o sinistro sábio começou a espantar as pessoas com a posse de informações que somente seus ancestrais, há muito falecidos, poderiam fornecer.

Mas as febris atividades secretas de Curwen não cessaram absolutamente com essa mudança. Ao contrário, tenderam a aumentar; de modo que uma parte cada vez maior de seus negócios marítimos passou a ser gerida pelos capitães que agora prendia a si pelos laços do medo, tão poderosos quanto haviam sido os do temor da bancarrota. Abandonara de todo o tráfico de escravos, alegando que seus lucros caíam continuamente. Passava todos os momentos disponíveis na fazenda Pawtuxet; entretanto, de vez em quando surgiam boatos sobre sua presença em lugares que, embora de fato não estivessem próximos de cemitérios, de modo tal localizavam-se em relação aos cemitérios que as pessoas atentas se perguntavam se os hábitos do velho comerciante haviam realmente mudado. Embora seus períodos de espionagem fossem necessariamente breves e intermitentes por conta de suas viagens marítimas, Ezra Weeden conservava uma persistência vingativa que a maioria das pessoas práticas da cidade e do campo não possuía e mantinha os negócios de Curwen sob uma vigilância a que jamais haviam sido submetidos antes.

Muitas das curiosas manobras dos barcos do estranho comerciante eram consideradas corriqueiras, levando em conta os tempos conturbados, quando todos os colonos pareciam determinados a resistir às disposições da Lei do Açúcar que obstaculizavam um tráfico vultoso. Contrabando e evasão eram a regra na baía de Narragansett e os desembarques noturnos de cargas ilícitas eram constantes e notórios. Mas Weeden, noite após noite, seguia as barcas ou pequenas chalupas que saíam furtivamente dos armazéns de Curwen nas docas de Town Street e logo teve a certeza de que não eram apenas os navios armados de Sua Majestade que o sinistro covarde estava ansioso por evitar. Antes da mudança de 1766 esses barcos continham na maior parte negros acorrentados, que eram transportados através da baía e desembarcados num ponto indefinido da costa, um pouco ao norte de Pawtuxet; em seguida, eram levados sobre as rochas e pelos campos até a fazenda Curwen, onde eram trancafiados num enorme edifício de pedra que tinha apenas altas e estreitas fendas como janelas. No entanto, depois daquela mudança, todo o programa foi alterado. A importação de escravos cessou imediatamente e por algum tempo Curwen abandonou as travessias noturnas. Então, aproximadamente na primavera de 1767, um novo método foi adotado. Mais uma vez as barcas eram vistas partir das silenciosas e negras docas, e agora desciam pela baía, chegando provavelmente até Nanquit Point, onde encontravam estranhos navios de considerável tamanho e de aparências as mais variadas cuja carga recebiam. Os marinheiros de Curwen então desembarcavam essa carga no local costumeiro na costa e a transportavam por terra até a fazenda, onde era guardada no mesmo misterioso edifício de pedra no qual anteriormente eram colocados os negros. A carga consistia quase exclusivamente em caixas e caixotes, grande parte dos quais era oblonga e pesada e se assemelhava de modo perturbador a caixões de defunto.

Weeden sempre vigiava a fazenda com incansável assiduidade, visitando-a todas as noites por longos períodos e raramente deixava passar uma semana sem fazer uma visita, salvo quando a neve que cobria o chão poderia revelar suas pegadas. Mesmo então ele chegava o mais perto possível pela estrada ou caminhando sobre o gelo do rio próximo, para observar as marcas que outros poderiam ter deixado. Como seus períodos de vigilância eram interrompidos pelas obrigações náuticas, ele contratou um companheiro de taberna, chamado Eleazer Smith, para que continuasse vigiando durante sua ausência; os dois poderiam espalhar boatos fantásticos. Só não faziam isto porque sabiam que essa publicidade chamaria a atenção de quem vigiavam, tornando impossível qualquer progresso. Ao contrário, pretendiam saber algo definitivo antes de agir. O que eles descobriram deve ter sido realmente assustador, pois Charles Ward comentou muitas vezes com os pais seu pesar por Weeden, no fim, ter queimado seus apontamentos. Tudo o que se pode dizer a respeito de suas descobertas é o que Eleazer Smith anotou apressadamente em um diário não muito coerente e que outros, em diários e cartas, repetiram timidamente a partir das declarações que os dois no fim fizeram, segundo as quais a fazenda não passava da fachada de uma vasta e revoltante ameaça, de um alcance e profundidade demasiado grandes e tangíveis para uma compreensão menos que nebulosa.

Conclui-se que Weeden e Smith logo se convenceram de que debaixo da fazenda existia uma imensa rede de túneis e catacumbas, habitados por um número bastante significativo de pessoas além do velho índio e sua mulher. A casa era uma antiga ruína dos meados do século XVII, com o teto pontudo, uma enorme chaminé e janelas de rótula, sendo que o laboratório se localizava numa ala acrescentada na face norte, cujo telhado chegava quase até o chão. Era um edifício isolado, no entanto, a julgar pelas diferentes vozes ouvidas nas horas mais estranhas em seu interior, e devia ser acessível por meio de passagens subterrâneas secretas. Essas vozes, antes de 1766, eram meros resmungos e sussurros de negros, gritos frenéticos juntamente com curiosas declamações e invocações. Após esta data, porém, alcançaram uma gama terrível e muito singular, percorrendo toda a escala desde sussurros de obtusa aquiescência até explosões de fúria selvagem, ruídos de conversas e choramingos de súplica, arquejamentos ansiosos e gritos de protesto. Pareciam ser línguas diferentes, todas conhecidas de Curwen, cujos ásperos acentos eram frequentemente ouvidos num tom de resposta, reprovação ou ameaça.

Às vezes parecia que várias pessoas deviam estar na casa: Curwen, alguns prisioneiros e os seus guardas. Havia vozes de uma natureza tal que nem Weeden nem Smith jamais haviam ouvido antes, não obstante seus vastos conhecimentos de portos estrangeiros, e muitas que aparentemente poderiam atribuir a essa ou àquela nacionalidade. A natureza das conversas parecia sempre uma espécie de interrogatório, como se Curwen estivesse arrancando algum tipo de informação de prisioneiros aterrorizados ou rebeldes.

Weeden anotara em seu caderno muitos trechos de conversas ouvidas furtivamente, porque o inglês, o francês e o espanhol, línguas que ele conhecia, eram frequentemente empregadas; mas nenhum se salvou. No entanto, ele dizia que, à parte alguns diálogos macabros referentes aos antigos negócios das famílias de Providence, a maioria das perguntas e respostas que ele conseguiu entender eram históricas ou científicas, às vezes relacionadas a lugares e épocas muito remotos. Certa ocasião, por exemplo, um personagem ora enfurecido, ora calado, foi interrogado em francês sobre o massacre do Príncipe Negro em Limoges, em 1370, como se houvesse alguma razão oculta que ele devesse conhecer. Curwen perguntou ao prisioneiro – se é que se tratava de um prisioneiro – se a ordem de matar havia sido dada por ter sido encontrada a Marca do Bode sobre o altar na antiga cripta romana debaixo da catedral, ou se o Homem Negro da Congregação das Bruxas da Alta Viena havia falado as Três Palavras. Não conseguindo obter respostas, o inquisidor aparentemente recorrera a meios extremos, pois se ouviu um grito agudo e terrível seguido pelo silêncio, por murmúrios e um baque surdo.

Nenhum desses colóquios jamais foi testemunhado por alguém, porque as janelas eram sempre protegidas por pesadas cortinas. Certa vez, contudo, durante uma conversa numa língua desconhecida, foi vista uma sombra sobre a cortina que assustou extremamente Weeden, lembrando-lhe uma marionete vista numa representação no outono de 1764, em Hatcher's Hall. Um sujeito de Germantown, Pensilvânia, montara um engenhoso espetáculo mecânico anunciado como "Vista da Famosa Cidade de Jerusalém, na qual são representados Jerusalém, o Templo de Salomão, seu Trono Real, as Torres famosas e as Colinas, bem como os padecimentos do Nosso Salvador desde o Jardim de Getsemani até a Cruz sobre o Monte Gólgota; uma Peça Artística que os curiosos não podem deixar de ver". Nessa ocasião o ouvinte, que se aproximara sorrateiramente à janela da sala da frente de onde saía a conversa, teve um sobressalto que acordou o velho casal de índios, os quais soltaram os cachorros em cima dele. Depois disso não se ouviram mais conversas na casa e Weeden e Smith concluíram que Curwen havia transferido seu campo de ação para locais subterrâneos.

Que estes existissem de verdade, parecia bastante evidente por muitos indícios. Gritos fracos e gemidos saíam indiscutivelmente vez por outra do que parecia ser solo compacto em lugares distantes de qualquer construção; enquanto se escondia no matagal na ribanceira do rio, atrás, onde o morro despencava abruptamente até o vale do Pawtuxet, encontrou uma porta de carvalho com umbrais e verga de pesada alvenaria, obviamente a entrada de uma caverna no interior do morro. Quando ou como essas catacumbas poderiam ter sido construídas, Weeden era incapaz de dizer; mas frequentemente salientou como seria fácil para turmas de trabalhadores chegar sem ser vistas até o local pelo rio. Joseph Curwen, realmente, usava das maneiras mais variadas seus marujos mestiços. Durante as pesadas chuvas da primavera de 1769, os dois espiões vigiaram atentamente a íngreme margem do rio para ver se alguns dos segredos subterrâneos seriam trazidos à luz e foram recompensados pelo aparecimento de uma profusão de ossos humanos e animais em pontos em que profundas valas haviam sido escavadas na ribanceira. Naturalmente, poderia haver explicações plausíveis para estas coisas na área de uma fazenda de gado e numa localidade em que eram comuns antigos cemitérios índios, mas Weeden e Smith tiraram suas próprias conclusões.

Foi em janeiro de 1770, enquanto Weeden e Smith ainda estavam debatendo em vão o que pensar ou fazer a respeito de todo o desconcertante negócio, que ocorreu o incidente do *Fortaleza*. Exasperada pelo incêndio da corveta *Liberty,* do serviço aduaneiro, em Newport, no verão anterior, a frota da aduana, sob o comando do almirante Wallace, reforçara a vigilância das embarcações estrangeiras; e nessa ocasião a escuna armada *Cygnet,* de Sua Majestade, comandada pelo capitão Harry Leshe, capturou, uma manhã muito cedo, após uma breve perseguição, a chata espanhola *Fortaleza,* de Barcelona, comandada pelo capitão Manuel Arruda, procedente, de acordo com o diário de bordo, do Grande Cairo, Egito, com destino a Providence. Vasculhado sob suspeita de contrabando, o navio revelou o fato espantoso de que sua carga consistia exclusivamente de múmias egípcias, consignadas a "Marujo A. B. C.", que viria retirar suas mercadorias numa barca ao largo de Nanquit Point e cuja identidade o capitão Arruda estava obrigado, por razões de honra, a não revelar. O Tribunal do Vice-Almirantado de Newport, sem saber o que fazer, pois se de um lado a natureza da carga não poderia ser considerada contrabando, do outro, o sigilo da mercadoria era ilegal, adotou uma solução de compromisso por recomendação do coletor Robinson, liberando o navio mas proibindo-o de ancorar em qualquer porto nas águas de Rhode Island. Surgiram posteriormente boatos de que teria sido visto no porto de Boston, embora nunca tivesse entrado abertamente no porto bostoniano.

Este incidente extraordinário não podia deixar de ser muito comentado em Providence e foram poucos os que duvidaram da existência de alguma relação entre a carga de múmias e o sinistro Joseph Curwen. Como seus estudos exóticos e suas curiosas importações de natureza química eram de conhecimento público e sua predileção por cemitérios uma suspeita geral, não era necessária muita imaginação para atribuir-lhe os esquisitos itens importados que evidentemente não poderiam se destinar a nenhuma outra pessoa da cidade. Como se estivesse consciente dessa convicção natural, Curwen tomou o cuidado de falar casualmente, em várias ocasiões, do valor químico dos bálsamos encontrados nas múmias, pensando talvez que assim poderia fazer com que a coisa parecesse menos anormal, sem contudo admitir sua participação. Weeden e Smith, é claro, não tinham qualquer dúvida quanto à importância do fato, e aventavam as mais tresloucadas teorias a respeito de Curwen e de suas monstruosas atividades.

Na primavera seguinte, como na do ano anterior, caíram fortes chuvas e os espiões vasculharam cuidadosamente a margem do rio atrás da fazenda de Curwen. Grandes trechos foram levados pelas águas e uma certa quantidade de ossos ficou descoberta mas nem sombra de qualquer câmara ou cova subterrânea. No entanto, alguns rumores se espalharam na aldeia de Pawtuxet, cerca de uma milha rio abaixo, onde o rio despenca por quedas d'água sobre um terraço de pedra até chegar à plácida enseada protegida. Lá, onde velhos e esquisitos sobrados subiam morro acima desde a ponte rústica e barcos de pesca ficavam ancorados em seus cais sonolentos, correram vagos boatos de coisas que flutuavam rio abaixo e podiam ser vistas por um instante ao passar pela queda d'água. É verdade que o Pawtuxet é um rio extenso que vai serpeando por muitas regiões povoadas onde os cemitérios são numerosos, e que as chuvas da primavera haviam sido muito pesadas, mas os pescadores perto da ponte não gostaram do olhar desvairado de uma das coisas ao precipitar na água tranquila lá embaixo, ou do modo como outra gritou, embora seu estado fosse bastante diferente daquele dos objetos que normalmente gritam. Esse boato fez Smith correr – pois Weeden se encontrava no mar naquele momento – para a margem do rio atrás da fazenda, onde seguramente existiriam os sinais de uma enorme caverna. No entanto, não havia indício algum de uma passagem para o interior da margem escarpada, pois a minúscula avalanche havia deixado para trás uma sólida parede de terra misturada com os arbustos do topo. Smith tentou até fazer uma escavação a título experimental, mas foi dissuadido pelo insucesso – ou talvez pelo temor do possível sucesso. É interessante especular sobre aquilo que o persistente e vingativo Weeden teria feito se se encontrasse em terra na ocasião.

3

No outono de 1770, Weeden decidiu que era chegado o momento de falar aos outros sobre suas descobertas, pois ele tinha uma grande quantidade de fatos para relacionar e uma segunda testemunha ocular para refutar a possível acusação de que o ciúme e o desejo de vingança haviam estimulado sua imaginação. Como seu primeiro confidente ele escolheu o capitão James Mathewson, do *Enterprise*, que de um lado o conhecia o bastante para não duvidar de sua veracidade, e do outro era suficientemente influente na cidade para ser ouvido, por sua vez, com respeito. O colóquio realizou-se num quarto em cima da Taberna de Sabin, perto das docas, com Smith presente para corroborar praticamente todas as afirmações. Percebia-se que o capitão Mathewson estava terrivelmente impressionado. Como quase todo mundo na cidade, ele também alimentava suas próprias obscuras suspeitas a respeito de Joseph Curwen; por isso bastou apenas essa confirmação e um número maior de dados para convencê-lo completamente. No final da conferência, ele tinha um ar muito grave e recomendou rigoroso silêncio aos dois jovens. Disse que transmitiria a informação separadamente a uns dez dos cidadãos mais instruídos e destacados de Providence, indagando suas opiniões e seguindo qualquer conselho que eles pudessem oferecer. O sigilo provavelmente seria aconselhável em todo caso, pois não se tratava de um assunto que as autoridades policiais ou os milicianos da cidade pudessem resolver, e, acima de tudo, a multidão excitável deveria ser mantida na ignorância, para que nesses tempos, já por si conturbados, não se repetisse o pânico assustador ocorrido em Salem, menos de meio século antes, que trouxera Curwen para Providence.

As pessoas que convinha informar da situação seriam, achava ele, o doutor Benjamin West, cujo trabalho sobre a tardia morte de Vênus revelara um estudioso e agudo pensador; o reverendo James Manning, diretor do College, que acabara de mudar-se de Warren e estava temporariamente hospedado no novo edifício da escola em King Street, aguardando a conclusão de sua construção sobre a colina acima de Presbyterian Lane; o ex-governador Stephen Hopkins, que havia sido membro da Sociedade Filosófica de Newport e era um homem do mais amplo discernimento; John Carter, editor do *Gazette;* os quatro irmãos Brown, John, Joseph, Nicholas e Moses, reconhecidamente os magnatas locais, sendo que Joseph era um cientista amador de algum talento; o velho doutor Jabez Bowen, cuja erudição era considerável e tinha bastante conhecimento em primeira mão das estranhas aquisições de Curwen; e o capitão Abraham Whipple, um pirata de audácia e energia fenomenais, com quem se poderia contar para chefiar qualquer operação necessária. Caso se mostrassem favoráveis, esses homens poderiam se unir para uma deliberação conjunta e a eles caberia a responsabilidade de decidir se deveriam ou não informar o governador da Colônia, Joseph Wanton, de Newport, antes de agir.

A missão do capitão Mathewson teve um sucesso superior às suas expectativas pois embora uma ou duas das pessoas de confiança a quem fez suas revelações se mostrassem céticas devido ao possível aspecto fantástico da história de

Weeden, não houve nenhuma que não achasse necessário empreender uma ação secreta e coordenada. Estava claro que Curwen constituía uma vaga ameaça potencial para o bem-estar da cidade e da Colônia e devia ser eliminado a todo custo. No final de dezembro de 1770, um grupo de eminentes cidadãos reuniu-se na casa de Stephen Hopkins e debateu várias medidas a serem tomadas. As anotações de Weeden, que ele entregara ao capitão Mathewson, foram lidas cuidadosamente e ele e Smith foram convidados a apresentar seu testemunho em certos detalhes. Algo muito próximo do medo apoderou-se de toda a assembleia antes que a reunião se concluísse, embora ao medo se misturasse uma inflexível determinação que as rudes e retumbantes blasfêmias do capitão Whipple expressavam do modo melhor. Eles não notificariam o governador, porque parecia necessária uma conduta mais do que legal. Com os poderes ocultos de alcance desconhecido de que aparentemente dispunha, Curwen não era um homem a quem se pudesse pedir que deixasse a cidade sem riscos. Represálias inomináveis poderiam decorrer e, mesmo que a sinistra criatura concordasse, a mudança não iria além da transferência de um problema imundo para outro lugar. Eram tempos em que a ilegalidade imperava e os homens que há anos escarneciam das forças da alfândega real não recusariam medidas mais duras se o dever os obrigasse a isso. Curwen deveria ser surpreendido em sua fazenda de Pawtuxet pela incursão de um grande destacamento de calejados piratas e lhe seria oferecida uma chance decisiva de se explicar. Se ficasse comprovado que ele era louco, divertindo-se com estrepitosas e imaginárias conversações em vozes diferentes, seria convenientemente internado num asilo. Se algo mais grave viesse à luz e se de fato os horrores subterrâneos se revelassem reais, ele e todos que estavam com ele deveriam perecer. A coisa poderia ser feita sem alarde e mesmo a viúva e seu pai não precisariam ser informados da maneira como aquilo iria acontecer.

Enquanto essas sérias medidas estavam sendo discutidas, ocorreu na cidade um incidente tão terrível e inexplicável que, por algum tempo, não se comentou outra coisa por milhas e milhas ao redor. No meio de uma noite enluarada de janeiro, quando espessa camada de neve cobria o chão, ressoou sobre o rio e sobre a colina uma série chocante de gritos que atraiu às janelas muitas cabeças sonolentas e as pessoas perto de Weybosset Point viram uma grande coisa branca mergulhar desvairadamente no espaço em frente à Cabeça do Turco. Ouviu-se um latir de cachorros na distância, que cessou assim que o clamor da cidade desperta se tornou audível. Grupos de homens com lanternas e mosquetes precipitaram-se para fora para ver o que acontecia, mas suas buscas foram infrutíferas. Na manhã seguinte, porém, um corpo musculoso, gigantesco, totalmente nu, foi encontrado sobre os montões de gelo ao redor dos molhes meridionais da Great Bridge, onde as Longas Docas se estendiam ao lado da destilaria Abbott, e a identidade desse objeto tornou-se assunto de infindáveis especulações e murmúrios. Não eram tanto os mais jovens quanto os mais velhos que murmuravam, pois somente nos patriarcas o rosto rígido cujos olhos horrorizados saíam das órbitas despertava vagas lembranças. Balançando a cabeça, eles trocavam furtivos sussurros de espanto e medo; pois naqueles traços enrijecidos e horrendos havia uma semelhança tão assombrosa que se tornava quase uma identidade total – e essa identidade era com um homem que havia morrido uns bons cinquenta anos antes.

Ezra Weeden estava presente na descoberta e, lembrando o latir da noite anterior, dirigiu-se por Weybosset Street, do outro lado de Muddy Dock Bridge, de onde o som viera. Tinha uma curiosa expectativa e não ficou surpreso quando, chegando ao fim da zona habitada, onde a rua desembocava na Pawtuxet Road, deparou com umas curiosas marcas no chão. O gigante nu havia sido perseguido por cães e muitos homens de botas e as marcas dos

animais e seus donos no caminho de volta se distinguiam
facilmente. Eles haviam desistido da perseguição ao chegar
demasiado perto da cidade. Weeden sorriu de modo sinistro
e, como se tratasse de um detalhe insignificante, seguiu as
pegadas até o seu ponto de origem. Era a fazenda Pawtuxet
de Joseph Curwen, como ele sabia muito bem; e teria dado
qualquer coisa para que o terreno não estivesse pisoteado
de maneira tão confusa. Por outro lado, não ousou se mostrar tão interessado à plena luz do dia. O doutor Bowen,
que Weeden procurou imediatamente com seu relato, fez
uma autópsia do estranho cadáver e descobriu peculiaridades que o deixaram absolutamente aturdido. O aparelho
digestivo do homenzarrão parecia nunca ter sido usado,
enquanto toda a sua pele tinha uma textura áspera e frouxa
impossível de explicar. Impressionado com aquilo que os
velhos murmuravam a respeito da semelhança do cadáver
com o ferreiro Daniel Green, falecido há muito tempo,
e cujo bisneto Aaron Hoppin era comissário de bordo
aos serviços de Curwen, Weeden fez algumas perguntas
aparentemente casuais até descobrir onde Green estava
enterrado. Naquela noite, um grupo de dez homens visitou
o antigo Cemitério Norte, do outro lado de Herrenden's
Lane, e abriu um túmulo. Descobriram que estava vazio,
precisamente como esperavam.

Enquanto isso, haviam sido feitos acordos com os
funcionários da diligência a fim de interceptar a correspondência de Joseph Curwen e, pouco antes do incidente com
o corpo nu, foi encontrada uma carta de um tal Jedediah
Orne, de Salem, que deixou os cooperativos cidadãos
profundamente preocupados. Trechos da missiva, copiados
e conservados nos arquivos particulares da família onde
Charles Ward a encontrou, diziam:

> "Alegro-me que o senhor continue no estudo de
> Antigos Casos com seu método e não penso que melhor
> tenha sido feito na casa do senhor Hutchinson, na vila

de Salem. Certamente, nada havia senão o mais vivo horror no que H. evocou daquilo que só pudemos compreender apenas em parte. O que o senhor enviou não funcionou, ou porque alguma coisa estava faltando, ou porque as palavras que eu pronunciei ou que o senhor copiou não estavam certas. Sozinho fico sem saber. Não possuo as artes químicas para imitar Borellus e confesso que fiquei confuso com o VII Livro do *Necronomicon* que o senhor recomenda. Mas gostaria que observasse o que nos foi dito a respeito de quem chamar, pois o senhor tem conhecimento do que o senhor Mather escreveu nos Marginalia de_____, e pode julgar quão fielmente a Horrenda Coisa está relatada. Recomendo-lhe novamente que não evoque ninguém que não possa mandar de volta; com isso quero dizer, ninguém que por sua vez possa chamar algo contra o senhor, contra o qual seus mais poderosos artifícios não seriam de uso algum. Chame os menores para que os maiores não desejem responder e sejam mais poderosos do que o senhor. Fiquei assustado quando li que o senhor sabe o que Ben Zaristnatmik tem em sua Caixa de Ébano, pois estou ciente de quem lhe deve ter contado. E novamente peço-lhe que me escreva como Jedediah e não como Simon. Nessa comunidade um homem pode não viver por muito tempo e o senhor conhece meu Plano pelo qual voltei como meu Filho. Desejaria que me fizesse conhecer o que o Homem Negro aprendeu com Sylvanus Cocidius na cripta debaixo do muro romano e ficaria agradecido se me emprestasse o manuscrito de que o senhor fala."

Outra carta não assinada de Filadélfia provocou igual preocupação, principalmente pelo seguinte trecho:

"Observarei o que o senhor diz com respeito ao envio das contas unicamente por seus navios, mas não pode saber ao certo quando deverá esperá-las. Quanto ao assunto de que fala, quero apenas mais uma coisa, mas desejo ter certeza de que o entendo perfeitamente. O senhor me informa que nenhuma parte deve estar faltando para que se obtenham os melhores efeitos, mas o senhor deve saber quão difícil é ter certeza. Parece muito perigoso e uma tarefa muito pesada levar toda a caixa, e na cidade (ou seja, na Igreja de São Pedro, São Paulo, Santa Maria e na Igreja de Cristo) isto não pode ser feito. Mas sei das imperfeições daquele que foi retirado em outubro passado e quantos espécimes vivos o senhor foi obrigado a empregar antes de chegar ao método certo no ano de 1766; portanto, seguirei suas orientações em todas as questões. Aguardo com impaciência seu brigue e indago todos os dias no cais do senhor Biddle".

Uma terceira carta suspeita estava escrita numa língua desconhecida e inclusive num alfabeto desconhecido. No diário de Smith encontrado por Charles Ward, uma única combinação de caracteres várias vezes repetida está copiada desajeitadamente e as autoridades da Brown University declararam tratar-se do alfabeto amárico ou abissínio, embora não compreendessem uma palavra. Nenhuma dessas missivas jamais foi entregue a Curwen, embora o desaparecimento de Jedediah Orne, de Salem, relatado pouco depois, demonstrasse que os homens de Providence haviam tomado medidas secretas. Também a Sociedade Histórica da Pensilvânia possui uma curiosa carta recebida pelo doutor Shippen referente à presença de um personagem abominável em Filadélfia. Mas medidas mais decisivas estavam no ar e é nas reuniões noturnas e secretas de calejados marujos juramentados e velhos e fiéis piratas nos armazéns Brown que devemos procurar os principais frutos das revelações de Weeden. Lenta e firmemente foi se desenvolvendo o plano de uma campanha que não deixaria traço dos funestos mistérios de Joseph Curwen.

Este, apesar de todas as precauções, aparentemente sentia que havia algo no ar, pois agora podia-se perceber seu olhar inusitadamente preocupado. Sua carruagem era vista a todas as horas pela cidade e na Pawtuxet Road e ele havia abandonado aos poucos o ar de forçada jovialidade com o qual ultimamente tentara combater o preconceito da cidade. Os vizinhos mais próximos à sua fazenda, os Fenners, uma noite notaram um grande feixe de luz projetar-se no céu de alguma abertura do telhado daquele misterioso edifício de pedra de altas janelas excessivamente estreitas; acontecimento que de imediato comunicaram a John Brown em Providence. O senhor Brown tornara-se o chefe do seleto grupo resolvido a eliminar Curwen e informara os Fenners de que estava prestes a ser tomada alguma medida. Achara isto necessário, visto ser impossível que a família não testemunhasse a incursão final e justificou seu procedimento afirmando que Curwen era um notório espião dos funcionários da alfândega de Newport, contra a qual aberta ou clandestinamente todo marujo, negociante e fazendeiro de Providence conspirava. Não se sabe ao certo se os vizinhos que haviam visto tantas coisas estranhas aceitaram a justificativa; em todo caso, os Fenners estavam propensos a atribuir todo mal a um homem de hábitos tão curiosos. A eles o senhor Brown confiou a tarefa de observar a casa da fazenda de Curwen e de relatar regularmente todo fato que lá ocorresse.

4

A probabilidade de que Curwen estivesse em guarda e tentando coisas inusitadas, como sugeria o estranho feixe de luz, por fim precipitou a ação tão cuidadosamente planejada pelo grupo de homens de bem. Segundo o diário de Smith, uma companhia de cerca de cem homens encontrou-se às dez da noite na sexta-feira, 12 de abril de 1771, na sala grande da Taberna de Thurston, ao Leão Dourado, em Weybosset Point, do outro lado da ponte. Do grupo de vanguarda composto de homens proeminentes, além do líder, John Brown, estavam presentes o doutor Bowen, com sua valise de instrumentos cirúrgicos, o diretor Manning, sem a grande peruca (a maior das Colônias) pela qual se distinguia, o governador Hopkins, envolto em seu manto escuro e acompanhado por seu irmão Eseh, homem do mar incluído no último momento com a permissão dos restantes, John Carter, o capitão Mathewson e o capitão Whipple, que chefiaria o grupo invasor. Esses chefes conferenciaram separadamente num cômodo de trás, depois do que o capitão Whipple dirigiu-se para a sala grande e, fazendo-os jurar fidelidade, deu aos marujos reunidos as últimas instruções. Eleazer Smith ficou com os chefes durante a reunião no aposento posterior, aguardando a chegada de Ezra Weeden, cuja tarefa consistia em vigiar Curwen e informar a saída de sua carruagem rumo à fazenda.

Por volta de dez e meia um ruído prolongado e surdo foi ouvido sobre a Great Bridge, seguido por aquele de uma carruagem na rua adiante; àquela hora não havia necessidade de esperar Weeden para saber que o homem condenado se pusera a caminho para sua última noite de iníquas bruxarias. Um instante mais tarde, enquanto o ruído da carruagem que se afastava soava fracamente sobre Muddy Dock Bridge, Weeden apareceu e os invasores se alinharam silenciosamente em ordem militar na rua, tendo aos ombros seus mosquetes, espingardas de caça ou arpões para a caça às baleias que traziam consigo. Weeden e Smith estavam com o grupo e do pessoal do conselho estavam presentes para tomar parte da ação o capitão Whipple, o chefe, o capitão Eseh Hopkins, John Carter, o diretor Manning, o capitão Mathewson e o doutor Bowen, juntamente com Moses Brown, que apareceu às onze horas, embora estivesse ausente da sessão preliminar na taberna. Todos esses cidadãos e sua centena de marujos iniciaram a longa marcha sem delongas, determinados e um tanto apreensivos ao deixar Muddy Dock atrás de si, subindo pelo suave aclive de Broad Street em direção a Pawtuxet Road. Logo atrás da Igreja de Elder Snow, alguns deles viraram-se para lançar um olhar de despedida a Providence que se espalhava debaixo das estrelas do início da primavera. Torres e frontões erguiam-se negros e bem delineados, e a brisa salobra soprava gentilmente da enseada ao norte da ponte. Vega subia sobre a grande colina, do outro lado do rio, onde o contorno das árvores era quebrado pela linha dos telhados do edifício inacabado do College. Ao pé daquela colina e ao longo das estreitas ruelas que trepavam por seus flancos, a velha cidade dormia; Old Providence, em nome de cuja segurança e salvação moral uma blasfêmia tão monstruosa e colossal estava prestes a ser eliminada.

Uma hora e um quarto mais tarde, os invasores chegaram, conforme havia sido previamente combinado, à casa da fazenda Fenner, onde ouviram o último relato sobre sua futura vítima. Ele havia chegado à sua fazenda há mais de meia hora, em seguida a estranha luz apontara para o céu, mas não havia luzes em nenhuma janela visível. Ultimamente era quase sempre assim. E no mesmo instante em que essa notícia estava sendo dada, outro grande clarão subiu ao sul e o grupo se deu conta de que de fato se aproximava do cenário de terríveis e monstruosos prodígios. O capitão Whipple então ordenou à tropa que se separasse em três grupos; um de vinte homens sob o comando de Eleazer Smith para atacar do lado da praia e guardar o local de desembarque contra possíveis reforços para Curwen, até ser convocado por um mensageiro como recurso extremo; um segundo de vinte homens, sob o comando do capitão Eseh Hopkins, para descer até o vale do rio atrás da fazenda de Curwen e derrubar com machados ou pólvora a porta de carvalho da margem íngreme e elevada; e o terceiro, para cercar a casa e os edifícios adjacentes. Um terço desse grupo seria conduzido pelo capitão Mathewson até o misterioso edifício de pedra com altas janelas estreitas, outro terço seguiria o próprio capitão Whipple até a casa principal da fazenda e o restante formaria um círculo ao redor de todo o grupo de edifícios até ser chamado por um último sinal de emergência.

O grupo do rio derrubaria a porta na encosta do morro ao ouvir soar um único apito, com ordens de aguardar e capturar tudo o que emergisse das regiões subterrâneas. Ao soarem dois apitos, avançaria pela abertura para fazer frente ao inimigo ou se uniria ao restante do contingente invasor. O grupo postado no edifício de pedra obedeceria, de modo análogo, a esses respectivos sinais, forçando a entrada ao primeiro e ao segundo descendo por qualquer passagem que viesse a ser descoberta no terreno para se unir à escaramuça geral ou local que, esperava-se, ocorreria nas cavernas. Um terceiro sinal, esse de emergência, de três apitos, convocaria a reserva destacada para a tarefa de vigilância geral, seus vinte homens se dividiriam em número igual e penetrariam nas profundezas desconhecidas tanto pela casa da fazenda quanto pelo edifício de pedra. O capitão Whipple tinha a convicção absoluta de que existiam catacumbas e não levou em consideração nenhuma alternativa ao fazer seus planos. Ele trazia consigo um apito muito potente e de som muito agudo e não temia qualquer equívoco ou confusão dos sinais. O último contingente de reserva no desembarcadouro, é claro, estava fora do alcance do apito, e exigiria um mensageiro especial se sua ajuda fosse necessária. Moses Brown e John Carter foram com o capitão Hopkins para a margem do rio, enquanto o diretor Manning era destacado com o capitão Mathewson para o edifício de pedra. O doutor Bowen, com Ezra Weeden, permaneceu no grupo do capitão Whipple que deveria tomar de assalto a casa da fazenda. O ataque deveria iniciar assim que um mensageiro do capitão Hopkins alcançasse o capitão Whipple para notificá-lo de que o destacamento do rio estava de prontidão. O chefe então sopraria uma única vez o apito e os vários destacamentos de vanguarda começariam seu ataque simultâneo a três pontos. Pouco antes de uma da manhã, os três grupos deixaram a casa da fazenda Fenner; um para guardar o desembarcadouro, outro rumando para o vale do rio e a porta na encosta do morro, e o terceiro para dividir-se e cuidar dos edifícios da fazenda Curwen.

Eleazer Smith, que acompanhara o grupo de guarda na praia, registra em seu diário uma marcha calma e uma longa espera sobre o penhasco da baía, interrompida a certa altura por aquilo que pareceu o som distante do apito de advertência e de novo por uma mistura abafada e peculiar de estrondos e gritos e uma explosão que pareciam vir da mesma direção. Mais tarde, um homem acreditou ter ouvido tiros distantes, e mais tarde ainda o próprio Smith escutou o reboar de palavras titânicas e trovejantes ressoando a grande altura. Foi pouco antes do amanhecer que surgiu um único mensageiro transtornado de olhar desvairado e com um odor horrendo e desconhecido exalando de suas roupas, dizendo que o destacamento dispersasse e voltasse silenciosamente para as respectivas casas e jamais pensasse ou mencionasse os feitos da noite ou daquele que havia sido Joseph Curwen. Algo no comportamento do mensageiro revelava uma convicção que suas simples palavras jamais conseguiriam transmitir, pois embora fosse um marujo conhecido por muitos deles, havia algo obscuramente perdido ou conquistado em sua alma que o tornaria para sempre diferente dos outros. O mesmo ocorreu quando, mais tarde, eles encontraram outros velhos companheiros que haviam penetrado naquela zona de horror. A maioria deles havia perdido ou conquistado algo imponderável e indescritível. Haviam visto, ouvido ou sentido algo que não era para criaturas humanas e jamais poderiam esquecer. Deles jamais partiu um comentário, pois mesmo para o mais comum dos instintos mortais existem limites terríveis. E aquele único mensageiro incutiu no grupo da praia um pavor indizível que quase selou seus lábios. Foram pouquíssimos os boatos espalhados por qualquer um deles e o diário de Eleazer Smith é o único registro escrito sobrevivente de toda a expedição que partira do estabelecimento do Leão Dourado sob as estrelas.

No entanto, Charles Ward descobriu outras vagas informações incidentais na correspondência de Fenner encontrada em Nova Londres, onde sabia ter residido outro ramo da família. Parece que os Fenners, de cuja casa a fazenda condenada era visível à distância, haviam observado as colunas de incursores pôr-se em marcha e haviam ouvido com muita clareza o raivoso latido dos cães de Curwen, seguido pelo primeiro som agudo do apito que precipitou o ataque. O primeiro apito havia sido seguido por outro grande feixe de luz saindo do edifício de pedra, e mais tarde, após o rápido ecoar do segundo sinal ordenando uma invasão geral, ouviu-se um pipocar atenuado de tiros de mosquete e depois um horrível bramido que o missivista Luke Fenner representara em sua epístola com as letras "Uaaaahrrrr R'uaaahrrr". Esse grito, porém, era de tal natureza que seria impossível traduzi-lo em simples caracteres impressos e o missivista menciona que sua mãe perdeu completamente os sentidos àquele som. Mais tarde foi repetido, com menor força, seguindo-se outros ruídos mais abafados de tiros, juntamente com uma explosão muito forte na direção do rio. Cerca de uma hora mais tarde, todos os cães começaram a latir assustadoramente e ouviram-se vagos sons surdos e prolongados vindos da terra, tão acentuados que os castiçais se agitaram sobre a lareira. Foi notado um forte odor de enxofre e o pai de Luke Fenner declarou ter ouvido o terceiro apito, o de emergência, embora os outros não o tivessem percebido. Novo barulho surdo de disparos de mosquetes, seguido por um grito menos lancinante, mas mais horrível ainda do que os precedentes; uma espécie de tosse gutural ou de gorgolejo, desagradavelmente plástica, cuja semelhança com um grito devia-se talvez mais à sua continuidade e impacto psicológico do que à sua qualidade acústica.

Então a coisa chamejante apareceu subitamente num ponto em que deveria se encontrar a fazenda de Curwen e ouviram-se gritos de homens desesperados e apavorados. Os mosquetes faiscaram e crepitaram e a coisa chamejante caiu ao solo. Uma segunda coisa chamejante apareceu e distinguiu-se claramente um grito agudo de choro humano. Fenner escreveu que conseguiu até compreender algumas palavras vomitadas como num delírio: "Todo-poderoso, protege teu cordeiro!" Então, houve mais tiros e a segunda coisa chamejante caiu. Depois disso fez-se o silêncio por cerca de três quartos de hora, no fim do qual o pequeno Arthur Fenner, irmão de Luke, exclamou que vira "uma névoa vermelha" subindo da fazenda maldita até as estrelas, à distância. Ninguém, com exceção da criança, poderia provar isso, mas Luke admite uma coincidência significativa no pânico de um terror quase convulsivo que, no mesmo instante, fez com que os três gatos que se encontravam na sala arqueassem o dorso e eriçassem o pelo.

Cinco minutos mais tarde, começou a soprar um vento gélido e o ar ficou impregnado de um fedor tão intolerável que somente a forte brisa do mar impediu que fosse percebido pelo grupo da praia ou por alguma das almas vigilantes na aldeia de Pawtuxet. Esse fedor não se assemelhava a nada que os Fenners conhecessem e provocou uma espécie de pavor avassalador, amorfo, muito pior do que o do túmulo ou do cemitério. Logo em seguida ouviu-se a voz pavorosa que nenhum infeliz ouvinte jamais poderá esquecer. Ela ribombava do céu como uma condenação e as janelas tremeram enquanto seus ecos se perdiam. Era profunda e musical; possante como a de um órgão, mas maligna como os livros proibidos dos árabes. Homem algum pode saber o que ela dizia, porque falava numa língua desconhecida, mas isto é o que Luke Fenner transcreveu para reproduzir os demoníacos sons: "DEESMEES – JESHET – BONE-DOSEFEDUVEMA – ENTTEMOSS". Foi somente no ano de 1919 que alguém relacionou essa transcrição tosca com algum tipo de conhecimento mortal, mas Charles Ward empalideceu ao reconhecer o que Mirandola denunciara estremecendo como o mais pavoroso horror das feitiçarias da magia negra.

Um grito inconfundivelmente humano ou um grito profundo e coral pareceu responder a esse prodígio maligno que vinha da fazenda de Curwen, em seguida o fedor desconhecido se tornou mais pesado ao acrescentar-se um odor igualmente intolerável. Lamentos distintamente diferentes de gritos irrompiam agora e prolongavam-se em uivos com paroxismos ascendentes e descendentes. Às vezes eram quase articulados, embora ouvinte algum pudesse captar palavras definidas; a certa altura, pareciam elevar-se até se tornarem quase risadas diabólicas e histéricas. Depois, um bramido de definitivo e absoluto terror, e a loucura total arrebentou de dezenas de gargantas humanas; um bramido que soou forte e claro apesar da profundeza da qual deve ter jorrado; após o que a escuridão e o silêncio dominaram todas as coisas. Espirais de fumaça acre subiram apagando as estrelas, embora não aparecessem chamas e no dia seguinte não se visse nenhum edifício destruído ou danificado.

Perto da madrugada, dois mensageiros apavorados, com cheiros monstruosos e indescritíveis saturando suas vestimentas, bateram à porta dos Fenners e pediram um barrilete de rum pelo qual pagaram muito bem. Um deles disse à família que o caso de Joseph Curwen estava encerrado e que os acontecimentos da noite nunca mais deveriam ser mencionados. Por mais arrogante que a ordem pudesse parecer, o aspecto daquele que a dava era tal que não provocou nenhum ressentimento e emprestou-lhe uma terrível autoridade; de modo que somente as furtivas missivas de Luke Fenner, que ele instou o parente de Connecticut a destruir, restam para contar o que foi visto e ouvido. O não atendimento desse parente, graças ao qual as cartas foram salvas apesar de tudo, foi a única coisa que impediu que o assunto caísse num piedoso esquecimento. Charles Ward tinha outro detalhe a acrescentar como resultado de uma cuidadosa investigação sobre as tradições ancestrais junto aos habitantes de Pawtuxet. O velho Charles Slocum daquela aldeia disse que seu avô soubera de um curioso boato referente a um corpo carbonizado e retorcido, encontrado nos campos uma semana depois do anúncio da morte de Joseph Curwen. O que gerou o boato foi a constatação de que esse corpo, pelo que se podia depreender dos restos queimados e contorcidos, não podia ser considerado nem totalmente humano nem podia ser atribuído a nenhum animal que o povo de Pawtuxet jamais tivesse visto ou conhecido por leituras.

5

Nenhum dos participantes daquela terrível incursão jamais seria induzido a pronunciar palavra a seu respeito e qualquer fragmento das vagas informações remanescentes vem de pessoas estranhas ao grupo que realizara o combate final. Há algo aterrador no cuidado com o qual os verdadeiros invasores destruíram os fragmentos que traziam a menor alusão ao assunto.

Oito marinheiros foram mortos, mas, embora seus corpos não fossem apresentados, suas famílias se contentaram com a declaração de que ocorrera um choque com funcionários da alfândega. O mesmo serviu para justificar os numerosos casos de ferimentos, todos eles cuidados e tratados pelo doutor Jabez Bowen, que acompanhara o grupo. O mais difícil foi explicar o odor indescritível que impregnava todos os invasores, fato discutido durante semanas. Dos cidadãos no comando, o capitão Whipple e

Moses Brown foram os mais gravemente feridos e algumas cartas de suas esposas comprovam o espanto provocado por sua reticência e excessivo cuidado em relação aos curativos. Psicologicamente, cada um dos participantes mostrou-se abalado, amadurecido, de certo modo envelhecido, mais moderado. Por sorte, eram todos homens de ação, fortes e simples, religiosos ortodoxos, pois se fossem dotados de uma introspecção mais sutil e de maior complexidade mental teriam se saído muito mal. O diretor Manning ficou mais perturbado do que todos, mas ele também venceu as mais negras trevas e sufocou as lembranças na oração. Todos aqueles chefes desempenhariam papéis ativos nos anos seguintes e talvez tenha sido bom que isso se desse. Pouco mais de doze meses depois, o capitão Whipple liderou a multidão que incendiou o barco *Gaspee,* das autoridades da alfândega, e nesse ato audacioso podemos perceber uma tentativa de apagar perniciosas imagens.

À viúva de Joseph Curwen foi entregue um caixão de chumbo lacrado, de feitio curioso, obviamente encontrado pronto no local, no qual lhe foi dito encontrar-se o corpo do marido. Foi explicado que ele havia sido morto num choque com a milícia da alfândega, a respeito do qual não seria conveniente buscar detalhes. Mais do que isso língua alguma nada jamais pronunciou sobre o fim de Joseph Curwen, e Charles Ward dispunha de uma única indicação com a qual construir uma teoria. Esta indicação era um simples fio – um traço tremido sublinhando um trecho da carta de Jedediah Orne a Curwen que havia sido confiscada e copiada em parte à mão por Ezra Weeden. A cópia foi encontrada com um dos descendentes de Smith e a nós cabe decidir se Weeden a deu ao seu companheiro depois do fim, como um mudo indício da anormalidade que havia ocorrido, ou se, como é mais provável, Smith a obtivera antes, e ele próprio acrescentara o grifo a partir daquilo que conseguira extrair de seu amigo por meio de inteligentes conjeturas e hábeis perguntas. O trecho sublinhado é este:

"Digo-lhe novamente, não evoque ninguém que não possa mandar de volta; quero dizer ninguém que por sua vez chame algo contra o senhor e contra o qual seus recursos mais poderosos não possam ter eficácia alguma. Busque os menores, para que os maiores não desejem responder e tenham mais poder do que o senhor".

À luz desse trecho e refletindo sobre que aliados inomináveis um homem derrotado pode tentar convocar em seu mais funesto transe, Charles Ward pode ter se perguntado se algum cidadão de Providence não teria assassinado Joseph Curwen.

A destruição total de toda lembrança do morto da vida e dos anais de Providence foi amplamente corroborada pela influência dos chefes da invasão. De início, eles não pretendiam ser tão radicais e, por outro lado, a viúva, seu pai e filha foram deixados na ignorância dos fatos reais; mas o capitão Tillinghast era um homem astuto e logo teve conhecimento de boatos suficientes para aguçar seu horror e exigir que sua filha e neta mudassem o nome, queimassem a biblioteca e todos os papéis restantes e raspassem a inscrição da lápide de ardósia sobre o jazigo de Joseph Curwen. Ele conhecia bem o capitão Whipple e provavelmente obteve mais indícios daquele rude marinheiro do que de qualquer outra pessoa sobre o fim do amaldiçoado bruxo.

A partir daquela época, a eliminação da memória de Curwen se tornou cada vez mais rigorosa, estendendo-se inclusive, por consenso comum, até os registros da cidade e os arquivos do *Gazette*. Só pode ser comparada pelo espírito ao silêncio que envolveu o nome de Oscar Wilde por toda uma década depois que ele caíra em desgraça e, pela extensão, somente ao destino do pecaminoso rei de Runagur na história de lorde Dunsany, a respeito do qual os deuses decidiram que não só deveria cessar de existir como se deveriam negar que tivesse existido.

A senhora Tillinghast, como a viúva passou a ser conhecida a partir de 1772, vendeu a casa de Olney Court e residiu com o pai em Power's Lane até sua morte, em 1817. A fazenda de Pawtuxet, evitada por todas as criaturas, foi abandonada, caindo em ruínas com o passar dos anos e aparentemente deteriorou-se com indizível rapidez. Por volta de 1780, só permaneciam de pé as paredes de pedra e tijolos e em 1800 estas também haviam se transformado em ruínas disformes. Ninguém se aventurava a olhar no matagal espesso na margem do rio, atrás do qual poderia existir a porta da encosta do morro, e jamais tentou formar uma imagem definida dos fatos em meio aos quais Joseph Curwen desaparecera junto com os horrores por ele mesmo criados.

Somente o velho e robusto capitão Whipple foi ouvido, vez por outra, por pessoas atentas murmurar de si para si: "Que aquele_____ morresse de sífilis, ele não tinha que rir enquanto gritava. Era como se o excomungado_____ tivesse um trunfo na manga. Por meia coroa eu botaria fogo em sua_____casa".

Capítulo três

Uma pesquisa e uma evocação

1

Charles Ward, como vimos, soube apenas em 1918 que descendia de Joseph Curwen. Não admira que imediatamente mostrasse profundo interesse por tudo o que dizia respeito ao antigo mistério; pois todos os vagos boatos que ouvira a respeito de Curwen agora se tornavam algo vital para ele, em cujas veias corria o sangue de Curwen. Nenhum estudioso de genealogia dotado de agudeza e imaginação agiria de modo diferente e ele empreendeu então uma ávida e sistemática coleta de informações sobre o antepassado.

Nas suas primeiras pesquisas não houve a menor tentativa de sigilo; de modo que mesmo o doutor Lyman hesita em datar a loucura do jovem em qualquer período anterior ao final de 1919. Ele conversava abertamente sobre o fato com a família – embora a mãe, em particular, não estivesse satisfeita em possuir um antepassado como Curwen – e com os funcionários dos vários museus e bibliotecas por ele visitados. Ao apelar para famílias de particulares em sua busca de registros que supostamente possuiriam, ele não ocultava seu objetivo e compartilhava do mesmo ceticismo bem-humorado com o qual eram vistos os relatos dos antigos autores de diários e cartas. Frequentemente expressava profunda curiosidade por aquilo que de fato ocorrera um século e meio antes naquela casa de Pawtuxet, cujo local tentara em vão encontrar, e por aquilo que Joseph Curwen havia sido na realidade.

Quando descobriu o diário e os arquivos de Smith e encontrou a carta de Jedediah Orne, decidiu visitar Salem e investigar as primeiras atividades de Curwen bem como suas relações lá na cidade, o que fez nas férias da Páscoa de 1919. No Instituto Essex, que ele conhecia bem de estadas anteriores na fascinante e antiga cidade de frontões puritanos em ruínas e aglomeração de telhados com mansardas, comprimindo-se uns ao lado dos outros, foi gentilmente recebido e lá descobriu uma quantidade considerável de informações sobre Curwen. Averiguou que seu ancestral nascera em Salem-Village, hoje Danvers, a sete milhas da cidade, no dia 18 de fevereiro de 1662-63 e que fugira para fazer-se ao mar à idade de quinze, só aparecendo nove anos mais tarde, quando regressou com a fala, as roupas e as maneiras de um inglês nativo e se estabeleceu na própria cidade de Salem. Na época, ele tinha poucas relações com a família, mas passava a maior parte do seu tempo debruçado sobre os livros curiosos adquiridos na Europa e as estranhas substâncias químicas que chegavam para ele em navios procedentes da Inglaterra, França e Holanda. Certas viagens dele para o interior eram objeto de muita curiosidade local e eram associadas, à boca pequena, a vagos relatos de fogueiras sobre as colinas, à noite.

Os únicos amigos próximos a Curwen haviam sido um certo Edward Hutchinson, de Salem-Village, e certo Simon Orne, de Salem. Com estes homens frequentemente era visto pelo parque e as visitas entre eles eram bastante frequentes. Hutchinson possuía uma casa fora da cidade, na direção dos bosques, e as pessoas sensíveis não gostavam dela por causa dos sons ouvidos lá à noite. Dizia-se que ele recebia estranhos visitantes e as luzes de suas janelas não eram sempre da mesma cor. O conhecimento que ele demonstrava ter a respeito de pessoas há muito tempo falecidas e de fatos há muito ocorridos era considerado totalmente blasfemo. Desapareceu aproximadamente na época em que começou o pânico da bruxaria e nunca mais se ouviu falar nele. Naquele tempo, Joseph Curwen também partiu, mas logo se soube que se estabelecera em Providence. Orne viveu em Salem até 1720, quando o fato de não mostrar sinais visíveis de envelhecimento começou a chamar a atenção das pessoas. Então ele desapareceu, embora, trinta anos mais tarde, seu sósia, denominando-se seu filho, aparecesse para reclamar a propriedade. A procedência da reclamação foi reconhecida com base em documentos lavrados por Simon Orne cuja caligrafia era conhecida, e Jedediah Orne continuou a morar em Salem até 1771, quando certas cartas de cidadãos de Providence endereçadas ao reverendo Thomas Barnard e a outros tiveram como resultado sua silenciosa mudança para local desconhecido.

Documentos sobre todos esses estranhos fatos estavam disponíveis no Instituto Essex, no Tribunal e no Cartório Civil e incluíam coisas comuns e inócuas como títulos de terras, escrituras de venda de terras e fragmentos secretos de uma natureza mais estimulante. Havia quatro ou cinco alusões inequívocas a eles nos registros dos processos de bruxaria: certo Hepzibah Lawson jurou, no dia 10 de julho de 1692, no Tribunal de Oyer e Terminen presidido pelo juiz Hathorne, que "quarenta bruxas e o Homem Negro foram vistos reunir-se nos bosques atrás da casa do senhor Hutchinson", e certa Amity How declarou, numa sessão de 8 de agosto, perante o juiz Gedney, que "o senhor G. B. (George Burroughs) naquela noite colocou a Marca do Diabo em Bridget S., Jonathan A., *Simon O.,* Deliverance W., *Joseph C.,* Susan P., Mehitable C., e Deborah B.". Depois, havia um catálogo da misteriosa biblioteca de Hutchinson como fora encontrada após seu desaparecimento e um manuscrito inacabado em sua caligrafia, numa linguagem cifrada que ninguém conseguia ler. Ward mandou fazer uma cópia fotostática desse manuscrito e começou a trabalhar casualmente no código assim que lhe foi entregue. Depois do mês de agosto seguinte, seu trabalho no código se tornou intenso e febril e, a partir daquilo que ele dizia e de seu comportamento, existem razões para se acreditar que conseguira decifrar o código antes de outubro ou novembro. Contudo, ele jamais afirmou se conseguira ou não.

Mas de maior interesse imediato era o material de Orne. Foi preciso pouco tempo para que Ward provasse, graças à caligrafia, uma coisa que já havia estabelecido a partir do texto da carta endereçada a Curwen, ou seja, que Simon Orne e seu suposto filho eram a mesma pessoa. Como Orne dissera ao seu missivista, não era seguro viver por muito tempo em Salem, daí ele ter resolvido se mudar por trinta anos para o exterior, só voltando para reclamar suas terras como representante de uma nova geração. Orne aparentemente havia tomado o cuidado de destruir a maior parte de sua correspondência, mas os cidadãos que agiram em 1771 descobriram e preservaram algumas cartas e papéis que estimularam sua curiosidade. Havia fórmulas e diagramas enigmáticos escritos em sua caligrafia e na de outras pessoas que Ward agora copiou com cuidado ou fotografou, e uma carta extremamente misteriosa numa caligrafia que o pesquisador reconheceu por certos registros contidos no Cartório Civil como sendo positivamente de Joseph Curwen.

Essa carta de Curwen, embora não datada em relação ao ano, não foi evidentemente aquela em resposta à escrita por Orne e que fora apreendida; por certas evidências Ward a atribuiu a uma data não muito posterior a 1750. Talvez não seja fora de propósito apresentar seu texto integral, como amostra do estilo de alguém cuja história foi tão obscura e terrível. Seu destinatário é chamado "Simon", mas existe um traço (não foi possível a Ward estabelecer se de autoria de Curwen ou de Orne) riscando a palavra.

Providence, 1º de maio

Irmão:

Meu honrado e velho amigo, meus devidos respeitos e sinceras saudações àquele que servimos para seu eterno poder. Acabo de descobrir aquilo que o senhor deve saber, referente ao funesto transe e ao que é preciso fazer a respeito. Não estou disposto a segui-lo e partir por causa de minha idade, pois Providence não possui a agudeza do latido na perseguição de coisas incomuns e em seu julgamento. Estou atarefado com navios e mercadorias e não poderia fazer como o senhor; além do mais, debaixo de minha fazenda em Pawtuxet está aquilo que o senhor sabe não esperaria que eu voltasse como outra pessoa.

Mas eu estou disposto a enfrentar tempos difíceis como lhe disse, e tenho trabalhado muito sobre a maneira de reaver o que perdi. Na noite passada, descobri as palavras que evocam YOGGESOTHOTHE e vi pela primeira vez aquele rosto de que fala Ibn Schacabac no _____. E ELE disse que o III Salmo no Liber-Damnatus tem a Clavícula. Com o Sol na V casa, Saturno na tríade, desenhe o Pentagrama do Fogo e pronuncie o nono verso três vezes. Repita esse verso na véspera do dia da Cruz e de Todos os Santos e a coisa se multiplicará nas esferas exteriores.

E da semente do velho nascerá Um que olhará para trás embora não saiba o que busca.

Isto de nada servirá se não houver um herdeiro e se os sais, ou a maneira de fazer os sais, não estiverem à mão. E nesse caso admito que não tomei as medidas necessárias nem descobri muito. O processo é danado de difícil de funcionar e utiliza tamanha multiplicidade de espécies que tenho dificuldades em encontrá-las em quantidade suficiente, não obstante os marinheiros das Índias que eu tenho. O povo por aqui é curioso, mas eu consigo enganá-lo. Os senhores de boa família são piores do que a populaça, pois possuem mais informações e as pessoas respeitam mais o que eles dizem. Temo que o pastor e o senhor Merritt tenham comentado algo, mas até o momento não há perigo.

As substâncias químicas são fáceis de se conseguir, havendo dois bons boticários na cidade, o doutor Bowen e Sam Carew. Estou seguindo o que Borellus diz e disponho do auxílio do VII Livro de Abdool Al-Hazred. O que eu obtiver, o senhor terá também. E no meio tempo não deixe de usar as palavras que dei aqui. Elas estão certas, mas se desejar vê-lo, empregue o que escrevi no pedaço de _____, que estou enviando nesse pacote. Diga os versos na véspera de cada dia da Cruz e de Todos os Santos e se sua linhagem não acabar, *nos anos por vir aparecerá aquele que olhará para trás e usará os sais ou a matéria dos sais que tu lhe deixares*. Jó, XIV, 14.

Alegro-me que o senhor esteja novamente em Salem e espero poder vê-lo em breve. Tenho um bom garanhão e estou pensando em comprar uma carruagem, pois já há uma (a do senhor Merritt) em Providence, embora as estradas sejam más. Se estiver disposto a viajar não deixe de me visitar. De Boston, pegue a estrada da diligência passando por Dedham, Wrentham e Attleborough, em todas estas cidades há boas tabernas. Hospede-se na do senhor Bolcom, em Wrentham, onde as camas são melhores do que na do senhor Hatch, mas coma no outro estabelecimento, pois seu cozinheiro é melhor. Vire na direção de Providence na altura das corredeiras de Patucket e pegue a estrada depois da taberna do senhor Sayles. Minha casa fica em frente à taberna do senhor Epenetus Olney, saindo de Town Street, a primeira do lado norte de Olney Court. A distância de Boston Store é cerca de 44 milhas.

Declaro-me, senhor, seu velho e sincero amigo e criado em Almonsin-Metraton.

Josephus C.

Ao Senhor Simon Orne,
William's-Lane, Salem.

Foi essa carta, estranhamente, que pela primeira vez forneceu a Ward a localização exata da casa de Curwen em Providence, pois nenhum dos registros encontrados até aquele momento havia sido totalmente específico. A descoberta era duplamente sensacional porque descrevia como sendo a nova casa de Curwen, construída em 1761 no local da antiga, a construção semidestruída que ainda se encontrava em Olney Court, bastante familiar a Ward em suas perambulações em busca de antiguidades em Stampers Hill. O lugar de fato ficava a poucas quadras de distância de sua casa, no ponto mais elevado da grande colina, e agora era habitada por uma família de negros muito procurada para serviços ocasionais, como lavagem de roupa, limpeza doméstica e manutenção de fornalhas. Encontrar na longínqua Salem uma prova tão inesperada da importância desse conhecido casebre na história de sua própria família foi algo muito emocionante para Ward, que resolveu explorar imediatamente o lugar à sua volta. Os trechos mais misteriosos da carta, que interpretou como uma forma extravagante de simbolismo, francamente o desafiavam embora observasse com um frêmito de curiosidade que a passagem bíblica referida – Jó, XIV, 14 – era o conhecido versículo, "Se um homem morre, deverá viver novamente? Todos os dias do tempo que me foi destinado eu esperarei, até que venham me soerguer".

2

O jovem Ward voltou para casa num estado de agradável excitação e passou o sábado seguinte num longo e exaustivo estudo da casa de Olney Court. A construção, atualmente em ruínas devido à idade, jamais havia sido uma mansão; mas era uma modesta casa de madeira de dois andares e uma água-furtada do tipo colonial comum em Providence, com um teto pontiagudo, ampla chaminé central, porta artisticamente entalhada e bandeira semicircular com raios, frontão triangular e elegantes colunas dóricas. Sofrera poucas alterações externamente e Ward teve a sensação de estar olhando algo muito próximo ao sinistro objeto de sua investigação.

Os atuais moradores negros eram seus conhecidos, e o velho Asa e sua gorda mulher Hannah mostraram-lhe muito gentilmente o interior. Aqui as alterações eram maiores do que parecia externamente e Ward observou com tristeza que uma boa metade das belas cornijas das lareiras lavradas com motivos de volutas e urnas e os entalhes em forma de conchas sobre os armários haviam desaparecido, enquanto a maior parte dos belos lambris de madeira e respectivas molduras estava arranhada, gasta, arrancada, ou coberta totalmente de papel de parede barato. De modo geral, a pesquisa não rendeu a Ward muito mais do que esperava, mas pelo menos foi emocionante encontrar-se entre as paredes ancestrais que haviam hospedado um homem horroroso como Joseph Curwen. Ele notou com um arrepio que o monograma havia sido cuidadosamente apagado da antiga aldrava de latão.

Desde aquele momento até o encerramento do curso, Ward passou todo o tempo debruçado sobre a cópia fotostática do código de Hutchinson e acumulando dados sobre Curwen no local. O código ainda se mostrava renitente, mas ele obteve tantos dados e tantos indícios em outras partes, que se predispôs a empreender uma viagem a Nova Londres e Nova York, a fim de consultar antigas cartas cuja presença estava indicada naqueles lugares. Essa viagem foi muito frutífera, pois resultou nas cartas de Fenner com sua terrível descrição da incursão à casa de Pawtuxet e as cartas da correspondência Nightingale-Talbot, nas quais ele ficou sabendo do retrato pintado no painel da biblioteca de Curwen. A questão do retrato interessou-o de modo particular, pois teria dado tudo para saber como era exatamente Joseph Curwen; e decidiu realizar uma segunda busca na casa de Olney Court para ver se não haveria algum vestígio das feições antigas debaixo das demãos da pintura posterior ou das camadas de papel de parede bolorento.

A busca foi empreendida no início de agosto e Ward percorreu cuidadosamente as paredes de cada cômodo cujas dimensões fossem suficientes para ter abrigado a biblioteca do perverso criador. Dedicou particular atenção aos amplos painéis sobre as lareiras que ainda restavam e ficou profundamente emocionado quando, após cerca de uma hora, num largo espaço sobre a lareira de uma sala espaçosa do andar térreo, teve a certeza de que a superfície trazida à luz ao arrancar várias camadas de tinta era sensivelmente mais escura do que a pintura de interior comum ou do que a madeira de baixo deveria ser. Após algumas outras tentativas mais cuidadosas com uma faca fina, teve a certeza de ter descoberto um retrato a óleo de grandes dimensões. Com a prudência de um autêntico estudioso, o jovem não arriscou o dano que uma tentativa imediata de descobrir com a faca a pintura oculta poderia perpetrar, mas simplesmente retirou-se do cenário de sua descoberta a fim de recrutar a ajuda de um especialista. Três dias mais tarde, voltou com um artista de longa experiência, o senhor Walter Dwight, cujo estúdio se encontra ao pé de College Hill, e aquele provecto restaurador de quadros pôs-se ao trabalho imediatamente, com métodos e substâncias químicas adequadas. O velho Asa e a esposa ficaram, é claro, curiosos a respeito de seus estranhos visitantes e foram adequadamente indenizados por essa invasão de seu lar.

À medida que o trabalho avançava, dia após dia, Charles Ward acompanhava com crescente interesse as linhas e sombras que gradativamente iam-se revelando após um longo esquecimento. Dwight começara na parte inferior do retrato; por isso, tendo o quadro a proporção de três por um, o rosto não apareceu por algum tempo. No meio tempo via-se que o sujeito era um homem magro, de boas proporções, com um casaco azul-escuro, colete bordado, calções de cetim preto e meias de seda branca, sentado numa cadeira entalhada contra uma janela com desembarcadouros e navios aparecendo ao longe. Quando surgiu a cabeça, observou-se que tinha uma peruca Albemarle bem arranjada e possuía um rosto fino, calmo, comum, de certo modo familiar a Ward e ao artista. No entanto, somente no fim o restaurador e seu cliente ficaram espantados diante dos detalhes do rosto magro, pálido, reconhecendo com um certo horror a dramática brincadeira pregada pela hereditariedade. Pois foi preciso o último banho de óleo e o último toque da delicada raspadeira para revelar totalmente a expressão que os séculos haviam ocultado e comparar o perplexo Charles Dexter Ward, amante do passado, aos seus próprios traços vivos retratados no semblante de seu horrível tetravô.

Ward levou os pais para ver a maravilha que havia descoberto e seu pai imediatamente determinou a aquisição do quadro, embora fosse pintado sobre painéis fixos. Para o rapaz, a semelhança era maravilhosa, apesar de aparentar uma idade avançada, e era possível constatar que, graças a um artificioso ardil do atavismo, os traços físicos de Joseph Curwen haviam encontrado uma cópia perfeita um século e meio mais tarde. A semelhança da senhora Ward com o seu antepassado não era muito acentuada, embora ela lembrasse de parentes que tinham algumas das características fisionômicas de seu filho e do falecido Curwen. Ela não gostou da descoberta e disse ao marido que seria melhor que ele queimasse o retrato em vez de levá-lo para casa. Afirmou que havia algo pernicioso nele, não apenas no aspecto intrínseco, mas na própria semelhança com Charles. O senhor Ward, contudo, era um prático e poderoso homem de negócios – um fabricante de tecidos de algodão com grandes tecelagens em Riverpoint e no vale do Pawtuxet – e não era pessoa de dar ouvidos a escrúpulos femininos. O quadro o impressionara enormemente pela semelhança com o filho e achou que o rapaz o merecia como presente. Não é preciso dizer que Charles concordou calorosamente com a ideia; poucos dias mais tarde o senhor Ward localizou o dono da casa – um sujeito baixo com o aspecto de um roedor e um acento gutural – e conseguiu todo o painel e a peça sobre a qual ficava o quadro por um preço rapidamente acordado que acabou com a torrente ameaçadora de untuosos regateios.

Restava agora retirar o painel e levá-lo para a residência dos Ward, onde foram adotadas todas as providências para sua completa restauração e instalação junto com uma lareira elétrica de imitação na biblioteca-escritório de Charles, no terceiro andar. A Charles foi deixada a tarefa de supervisionar a remoção e, no dia 28 de agosto, ele acompanhou dois técnicos da firma de decorações Crooker até a casa de Olney Court, onde o painel e toda a peça com o retrato foram despregados com grande cuidado e precisão e transportados no caminhão da empresa. Restou descoberto um espaço de tijolos deixando à mostra a parede da chaminé e nesta o jovem Ward observou um vão quadrado aproximadamente da largura de um pé, que devia ficar diretamente atrás da cabeça do retrato. Curioso com o que aquele vão poderia significar ou conter, o jovem aproximou-se, olhou em seu interior e descobriu, debaixo das espessas camadas de pó e fuligem, alguns papéis soltos, amarelados, um rústico e grosso caderno e alguns fiapos bolorentos que haviam sido talvez a fita prendendo o todo. Soprou o grosso do pó e das cinzas e pegou o livro olhando a inscrição em grossas letras negras da capa. Estava escrita numa caligrafia que ele aprendera a reconhecer no Instituto Essex e dizia que o volume era o *Diário e Notas de Jos. Curwen, Gent., das Plantações de Providence, anteriormente de Salem.*

Emocionado ao extremo com sua descoberta, Ward mostrou o livro aos dois trabalhadores curiosos ao seu lado. O testemunho destes quanto à natureza e autenticidade da descoberta é absoluto; e o doutor Willett baseia-se neles para estabelecer sua teoria de que o jovem não era louco quando começou a exibir suas maiores excentricidades. Todos os outros papéis também estavam escritos na caligrafia de Curwen e um deles parecia especialmente assombroso, por causa de sua inscrição: *"Àquele que virá depois, e como ele poderá voltar no tempo e nas esferas"*. Outro estava em código, o mesmo, esperava Ward, de Hutchinson, que até o momento o frustrara. Um terceiro, e aqui o pesquisador se regozijou, parecia ser a chave do código, enquanto o quarto e quinto eram endereçados respectivamente "ao Gentil homem Edw: Hutchinson" e "Ao Cavalheiro Jedediah Orne", "ou Seu Herdeiro ou Herdeiros, ou a quem os Represente". O sexto e último tinha a inscrição: *"Joseph Curwen, sua vida e viagens entre os anos 1678 e 1687: para onde viajou, onde viveu, quem viu e o que aprendeu"*.

3

Chegamos agora ao momento ao qual a escola mais acadêmica de psiquiatras data a loucura de Charles Ward. Após a descoberta, o jovem folheara imediatamente as páginas internas do livro e dos manuscritos e evidentemente viu algo que o impressionou de modo fantástico. Em verdade, ao mostrar os títulos aos trabalhadores, ele pareceu resguardar o texto com cuidado peculiar e mostrar um estado de perturbação que mesmo a importância arqueológica e genealógica da descoberta não justificava. Ao voltar para casa, ele deu a notícia com um ar quase embaraçado, como se desejasse transmitir uma ideia de sua suprema importância, sem contudo exibir a prova. Sequer mostrou os títulos aos pais, mas simplesmente disse-lhes que havia encontrado alguns documentos escritos na caligrafia de Joseph Curwen, "a maior parte em código", que teriam de ser estudados com muito cuidado para revelar seu significado verdadeiro. É improvável que ele tivesse mostrado o que mostrou aos trabalhadores não fosse pela curiosidade indisfarçada daqueles. Sem dúvida, pretendia evitar qualquer demonstração de uma reticência peculiar que aumentaria as discussões em torno do assunto.

Naquela noite, Charles Ward ficou sentado em seu quarto lendo o livro e os papéis recém-descobertos e quando clareou o dia não desistiu. As refeições, conforme seu urgente pedido quando a mãe foi falar com ele para ver o que estava ocorrendo, foram levadas para o quarto e, à tarde, ele apareceu muito rapidamente quando os homens foram instalar o retrato de Curwen e o painel da lareira em seu escritório. Na noite seguinte, dormiu a curtos intervalos, de roupa, enquanto lutava febrilmente para decifrar o manuscrito em código. Pela manhã, a mãe viu que ele estava trabalhando na cópia fotostática do código de Hutchinson, que várias vezes lhe havia mostrado antes; mas, respondendo à sua interrogação, ele disse que a chave de Curwen não lhe podia ser aplicada. Naquela tarde, abandonou seu trabalho e observou fascinado os homens enquanto terminavam a instalação do quadro com sua estrutura de madeira sobre um tronco de árvore elétrico engenhosamente realista, colocavam a imitação de lareira e o painel um pouco afastados da parede norte, como se atrás existisse uma chaminé, e encaixavam nos lados lambris combinando com o quarto.

O painel da frente com a pintura foi serrado e montado, deixando um espaço para um armário atrás. Assim que os homens se foram transferiu seu trabalho para o escritório e sentou à sua frente com um olho no código e outro no retrato, que lhe devolvia o olhar como um espelho que o envelhecia ou evocava séculos passados. Os pais, lembrando mais tarde seu comportamento nesse período, forneceram interessantes detalhes referentes aos subterfúgios por ele adotados para disfarçar sua atividade. Diante dos empregados, raramente escondia algum papel que estava estudando, pressupondo, com razão, que a intrincada e arcaica caligrafia de Curwen seria demais para eles. Com os pais, no entanto, era mais circunspecto, e a não ser que o manuscrito em questão fosse em código, ou um amontoado de símbolos misteriosos e ideogramas desconhecidos (como aquele intitulado *"Àquele que vier depois etc."* parecia), cobria-o com um papel até que a visita saísse do quarto. À noite, mantinha os papéis trancados a chave numa antiga papeleira sua, onde também os colocava sempre que saía do quarto. Logo retomou horários e hábitos razoavelmente regulares, com a exceção de que seus longos passeios e outros interesses externos pareciam ter cessado. A reabertura da escola, onde agora iniciava o último ano, aparentemente o aborreceu e afirmou muitas vezes sua determinação de nunca mais retomar o curso. Dizia ter importantes pesquisas sociais a fazer, que lhe abririam mais caminhos para o conhecimento e as ciências humanas do que qualquer universidade de que o mundo podia se vangloriar.

É claro que só uma pessoa que sempre havia sido mais ou menos estudiosa, excêntrica e solitária poderia adotar esse comportamento durante muitos dias sem chamar a atenção. No entanto, Ward era por constituição um estudioso e um ermitão; daí seus pais ficarem menos surpresos do que magoados com a rígida reclusão e o sigilo que ele adotara. Ao mesmo tempo, tanto o pai quanto a mãe achavam estranho que ele não lhes mostrasse nenhum fragmento de seu valioso achado, nem lhes fizesse um relato sobre as informações decifradas. Ele justificava essa reticência atribuindo-a a um desejo de aguardar até poder anunciar algo pertinente, mas, como as semanas passavam sem maiores revelações, começou a surgir entre o jovem e a família uma espécie de constrangimento, intensificado no caso da mãe, por sua manifesta desaprovação de todas as pesquisas referentes a Curwen.

No mês de outubro, Ward começou a visitar novamente as bibliotecas, porém não mais pelo interesse arqueológico dos primeiros dias. Bruxaria e magia, ocultismo e demonologia era o que buscava agora, e quando as fontes de Providence se revelaram infrutíferas, tomou o trem para Boston para haurir da riqueza da biblioteca de Copley Square, da Biblioteca Widener de Harvard ou da Biblioteca de Pesquisa Zion em Brookline, onde se encontravam certas obras raras sobre temas bíblicos. Comprou muitos livros e montou toda uma nova estante em seu escritório para as obras recém-adquiridas sobre temas sobrenaturais; durante as férias de Natal, fez uma série de viagens fora da cidade, inclusive uma para Salem, a fim de consultar alguns registros do Instituto Essex.

Aproximadamente em meados de janeiro de 1920, acrescentou-se ao comportamento de Ward um ar de triunfo que ele não explicou; já não era visto trabalhar no código de Hutchinson. Ao contrário, adotou duas linhas de investigação: a pesquisa química e a análise de registros. Montou para a primeira um laboratório na mansarda da casa que não era usada e para a segunda vasculhou todas as fontes de dados vitais de Providence. Os comerciantes de drogas e de instrumentos científicos da cidade, posteriormente interrogados, forneceram listas fantasticamente estranhas, sem sentido, das substâncias e instrumentos por ele adquiridos; mas os funcionários da Assembleia Estadual, da Prefeitura e de várias bibliotecas concordam quanto ao objetivo definido de seu segundo interesse. Ele procurava intensa e febrilmente o túmulo de Joseph Curwen, de cuja lápide uma geração mais antiga apagara tão sabiamente o nome.

Aos poucos, na família Ward foi crescendo a convicção de que algo estava errado. Charles já tivera manias extravagantes, e mudanças de interesses menores antes, mas este sigilo e a absorção cada vez maior em estranhas investigações eram contrários inclusive à sua índole. Suas atividades na escola não passavam de pura simulação, e, embora passasse em todos os exames, era visível que sua antiga aplicação havia desaparecido. Tinha outros interesses agora e, quando não estava em seu laboratório com uma vintena de livros antiquados de alquimia, podia ser encontrado lendo atentamente velhos registros funerários no centro da cidade ou colado aos seus volumes de ciências ocultas em seu escritório, onde as feições espantosamente semelhantes – pode-se dizer cada vez mais semelhantes – de Joseph Curwen olhavam-no de modo afável do grande painel sobre a lareira na parede norte.

No fim de março, Ward acrescentou à sua busca nos arquivos uma série de vampirescas perambulações pelos vários cemitérios antigos da cidade. A causa foi revelada mais tarde, quando se soube dos funcionários da Prefeitura que ele provavelmente havia encontrado um indício importante. Sua investigação repentinamente desviara-se do túmulo de Joseph Curwen para o de certo Naphthali Field; e a mudança foi explicada quando, ao examinar os arquivos por ele pesquisados, os investigadores de fato encontraram um registro fragmentado do sepultamento de Curwen que escapara da destruição geral e que dizia que o curioso caixão de chumbo havia sido enterrado "dez pés ao sul e cinco pés a oeste do túmulo de Naphthali Field no_____". A ausência de um jazigo especificado no registro sobrevivente complicou enormemente a pesquisa e o túmulo de Naphthali parecia tão indefinível quanto o de Curwen; no entanto, nesse caso não tinha havido uma eliminação sistemática e seria razoável esperar encontrar a própria pedra tumular mesmo que seu registro tivesse desaparecido. Daí as perambulações – das quais ficaram excluídos o cemitério de St. John (outrora King's) e o antigo cemitério congregacional no meio do cemitério de Swan Point, uma vez que outros dados haviam demonstrado que o único Naphthali Field (falecido em 1729) cujo túmulo poderia estar indicado era batista.

4

Foi por volta de maio que o doutor Willett, por solicitação de Ward pai, e baseado em todos os dados referentes a Curwen que a família havia obtido de Charles em épocas nas quais não se preocupava com o sigilo, teve uma conversa com o jovem. A entrevista foi pouco valiosa e conclusiva, pois Willett sentiu a todo momento que Charles estava totalmente dono de si e consciente de assuntos de verdadeira importância; mas pelo menos obrigou o reservado jovem a apresentar alguma explicação racional de seu comportamento recente. Com o rosto pálido, impassível, sem mostrar embaraço, Ward pareceu bastante disposto a discutir suas investigações, embora não a revelar seu objetivo. Afirmou que os papéis de seu antepassado continham notáveis segredos do saber científico de tempos primitivos, na maior parte em código, de um alcance comparável apenas às descobertas do frei Bacon e talvez mesmo superior a estas. No entanto, não tinham qualquer importância, salvo se relacionadas a um corpo de conhecimentos hoje totalmente ultrapassado; de modo que sua apresentação imediata a um mundo equipado unicamente com a ciência moderna lhes tiraria toda a força e significado dramático. Para que pudessem ser vividamente assimilados pela história do pensamento humano deveriam primeiramente ser correlacionadas por alguém familiarizado com o ambiente no qual haviam evoluído e a essa tarefa de correlação Ward se dedicava agora. Ele estava tentando adquirir tão rápido quanto possível o saber negligenciado dos antigos, que um autêntico intérprete dos dados sobre Curwen deveria possuir, e esperava fazer uma apresentação completa do maior interesse para a humanidade e o mundo do pensamento em seu devido tempo. Nem mesmo Einstein, declarou, poderia revolucionar de maneira mais profunda a atual concepção das coisas.

Quanto à sua pesquisa nos cemitérios, cujo objetivo admitiu abertamente, sem contar os detalhes de seu progresso, disse que tinha razões para pensar que a pedra tumular mutilada de Joseph Curwen continha certos símbolos mágicos – esculpidos segundo instruções contidas em seu testamento e por ignorância poupadas por aqueles que haviam apagado o nome – absolutamente essenciais à solução final de seu misterioso sistema cifrado. Ele acreditava que Curwen desejara guardar com carinho seu segredo e, consequentemente, distribuíra as informações de uma forma sobremaneira curiosa. Quando o doutor Willett pediu para ver os documentos mágicos, Ward demonstrou muita relutância e tentou esquivar-se com evasivas, como as cópias fotostáticas do código de Hutchinson e as fórmulas e os diagramas de Orne; mas finalmente mostrou-lhe a capa de algumas das verdadeiras descobertas sobre Curwen – o *Diário e Notas,* o código (título em código também) e a mensagem repleta de fórmulas *"Àquele que virá depois"* – e deixou-o dar uma olhada nos papéis escritos em caracteres incompreensíveis.

Ele abriu também o diário numa página cuidadosamente escolhida por seu teor totalmente inócuo e permitiu que Willett olhasse o manuscrito de Curwen em inglês. O médico observou com atenção as letras ininteligíveis e complicadas e a aura do século XVII que pairava sobre a caligrafia e o estilo, embora seu escritor sobrevivesse até o século XVIII, e teve imediatamente a certeza de que o documento era autêntico. O próprio texto era relativamente trivial, e Willett lembrava apenas um fragmento:

"Quarta-feira, dia 16 de outubro de 1754. Minha corveta *Wahefal* saiu hoje de Londres com XX novos homens embarcados nas Índias, espanhóis da Martinica e holandeses do Suriname. Os holandeses estão propensos a desertar por terem ouvido falar um tanto mal desse empreendimento, mas farei de modo a induzi-los a ficar. Para o senhor Knight Dexter no Bay and Book 120 peças de chamalote, 100 peças sortidas de pelo de camelo, 20 peças de lã azul, 50 peças de calamanta, 300 peças cada de algodão das Índias e *shendsoy*. Para o senhor Green do Elefante, 50 panelas de um galão, 20 panelas de aquecer, 15 formas de assar, 10 tenazes de defumar. Para o senhor Perrigo, 1 conjunto de sovelas. Para o senhor Nightingale, 50 resmas de papel de primeira. Recitei o SABBAOTH três vezes na noite passada mas ninguém apareceu. Preciso saber mais do senhor H. na Transilvânia, embora seja difícil entrar em contato com ele e é muito estranho que ele não possa me ensinar o uso daquilo que tem usado tão bem nesses cem anos. Simon não escreveu nessas V semanas, mas espero ter notícias suas em breve".

Chegando a esse ponto, quando o doutor Willett virou a página, foi rapidamente impedido por Ward, que quase arrancou o livro de suas mãos. Tudo o que o médico conseguiu ver na página recém-aberta foram duas frases; mas estas, é estranho, permaneceram obstinadamente em sua memória. Diziam: "Pronunciado o verso do Liber-Damnatus em V vésperas do dia da Cruz e IV vésperas de Todos os Santos, espero que a coisa esteja se preparando fora das esferas. Ele trará aquele que está para vir se eu puder ter certeza de que ele existirá e pensará as coisas passadas e olhará para trás dos anos e para isto deverei ter os sais prontos ou o necessário para fazê-los".

Willett não viu mais nada, mas de alguma forma essa rápida olhada conferiu um novo e vago terror às feições pintadas de Joseph Curwen, que olhava afavelmente de cima da lareira. Mesmo depois, ele teve a curiosa fantasia – sua experiência médica, é claro, lhe garantiu não passar de uma fantasia – de que os olhos do retrato tinham uma espécie de desejo, se não uma autêntica tendência, a seguir Charles Ward enquanto este se deslocava pelo cômodo. Deteve-se antes de sair para examinar de perto a pintura, assombrado com sua semelhança com Charles e memorizou cada mínimo detalhe do rosto misterioso e sem cor, inclusive uma pequena cicatriz ou cova na testa lisa sobre o olho direito. Cosmo Alexander, decidiu, era um pintor digno da Escócia que produziu Raeburn e um mestre digno de seu ilustre pupilo Gilbert Stuart.

Assegurados pelo médico de que a saúde mental de Charles não estava em perigo, mas que, por outro lado, o jovem estava envolvido em pesquisas que poderiam se revelar de importância real, os Ward ficaram mais tolerantes do que de outro modo seriam quando, no mês de junho seguinte, ele se recusou decididamente a frequentar a escola. Alegou ter estudos de uma importância muito mais vital a seguir e anunciou o desejo de ir para o exterior no ano seguinte, a fim de se valer de certas fontes de informações inexistentes na América. O pai de Ward, embora recusasse atender a este desejo por considerá-lo absurdo para um rapaz de apenas dezoito anos, concordou a respeito da universidade. Assim, após uma conclusão não muito brilhante do curso na Escola Moses Brown, seguiu-se para Charles um período de três anos de intensos estudos de ocultismo e pesquisas em cemitérios. Ele passou a ser considerado um excêntrico e desapareceu da vista dos familiares e amigos ainda mais completamente do que antes; debruçou-se sobre seu trabalho e apenas de vez em quando viajava para outras cidades a fim de consultar misteriosos registros. Certa vez, foi ao sul para conversar com um estranho velho mulato que vivia num pântano e a respeito do qual um jornal escrevera um curioso artigo. Depois, procurou uma pequena aldeia nos montes Adirondack, de onde haviam saído relatos de curiosas cerimônias. Mas ainda seus pais lhe proibiam a viagem tão desejada ao Velho Mundo.

Ao chegar à maioridade, em abril de 1923, e tendo herdado do avô materno uma pequena renda, Ward resolveu enfim realizar a viagem à Europa até então negada. Nada comentou a respeito do itinerário pretendido, salvo que as necessidades de seus estudos o levariam a muitos lugares, mas prometeu escrever aos pais um relato sincero e completo. Quando eles viram que não poderiam dissuadi-lo, abandonaram toda a oposição e ajudaram-no na medida do possível; de modo que em junho o jovem embarcava para Liverpool com as bênçãos do pai e da mãe, que o acompanharam até Boston e acenaram para ele até o navio desaparecer do embarcadouro White Star, em Charlestown. As cartas logo contaram que chegara são e salvo e que tomara boas acomodações em Great Russell, em Londres, onde propunha-se a ficar, evitando todos os amigos da família, até esgotar os recursos do Museu Britânico num determinado assunto. Escrevia pouco sobre sua vida de todos os dias, pois havia pouco a escrever. Estudos e experimentos tomavam-lhe o tempo todo e mencionava um laboratório que havia montado num dos cômodos. O fato de não falar de peregrinações arqueológicas na antiga e fascinante cidade, com seu atraente horizonte de antigas cúpulas e campanários e seu emaranhado de ruas e ruelas cujos meandros misteriosos e vistas inesperadas alternadamente acenam e surpreendem, foi tomado por seus pais como um indício seguro do grau em que seus novos interesses absorviam sua mente.

Em junho de 1924, uma breve mensagem informou que ele partia rumo a Paris, cidade para a qual havia feito antes duas ou três viagens em busca de material na Bibliotèque Nationale. Nos três meses seguintes, enviou apenas cartões-postais, dando um endereço na rua St. Jacques e referindo-se a uma pesquisa especial entre manuscritos raros na biblioteca de um colecionador cujo nome não mencionou. Evitava fazer amizades e nenhum turista voltou contando tê-lo encontrado. Seguiu-se então um período de silêncio e em outubro os Ward receberam um cartão de Praga dizendo que Charles se encontrava naquela antiga cidade com o propósito de consultar um homem muito idoso, supostamente o último detentor vivo de algumas informações medievais muito curiosas. Dava um endereço na Neustadt e anunciava que lá permaneceria até janeiro do ano seguinte, quando mandou vários cartões de Viena falando de sua passagem por aquela cidade a caminho de uma região mais oriental, para a qual fora convidado por um de seus correspondentes e colegas de pesquisas do oculto.

O próximo cartão era de Klausenburg, na Transilvânia, e falava dos progressos de Ward na perseguição de seu objetivo. Ia visitar um certo barão Ferenczy, cuja propriedade ficava nas montanhas a leste de Rakus, e a correspondência deveria ser endereçada a Rakus aos cuidados daquele aristocrata. Outro cartão de Rakus, enviado uma semana mais tarde, dizia que a carruagem de seu anfitrião havia ido ao seu encontro e que ele estava partindo da aldeia rumo às montanhas, sendo esta a última mensagem durante um período considerável. Em realidade, não respondeu às frequentes cartas dos pais até maio, quando escreveu desaconselhando o projeto de sua mãe de encontrá-lo em Londres, Paris ou Roma no verão, quando os Ward pretendiam viajar para a Europa. Suas pesquisas, ele disse, eram de tal ordem que não podia deixar sua atual morada, e ao mesmo tempo a localização do castelo do barão Ferenczy não favorecia visitas. Ficava num penhasco nas sombrias montanhas cobertas de florestas e a região era tão evitada pelos habitantes dos campos que as pessoas normais não se sentiriam à vontade. Além disso, o barão não era uma pessoa que pudesse agradar a gente de posição e conservadora da Nova Inglaterra. Seu aspecto e comportamento tinham certas idiossincrasias e sua idade era tão avançada que chegava a inquietar. Seria melhor, dizia Charles, que seus pais esperassem sua volta a Providence, o que não demoraria a acontecer.

No entanto, ele só voltou em maio de 1925, quando, depois de alguns cartões anunciando sua chegada, o jovem viajante desembarcou do *Homeric* sem alardes em Nova York e percorreu as longas milhas até Providence de ônibus, embebendo-se avidamente da visão das onduladas colinas verdejantes dos fragrantes pomares em flor e das brancas cidadezinhas com campanário do Connecticut primaveril; era seu primeiro contato em quase quatro anos com a Nova Inglaterra. Quando o ônibus atravessou o Pawcatuck e entrou em Rhode Island no ar dourado e irreal de uma tarde de fim de primavera, seu coração batia com mais força e o ingresso em Providence, pelas avenidas Reservoir e Elmwood, foi uma coisa maravilhosa, de tirar o fôlego, apesar da profundidade dos conhecimentos proibidos nos quais havia mergulhado. Na praça elevada onde as ruas Broad, Weybosset e Empire se cruzam, ele viu à sua frente e mais abaixo, no incêndio do pôr do sol, as casas aprazíveis de suas recordações e as cúpulas e campanários da cidade velha; e sua cabeça rodou numa curiosa vertigem enquanto o veículo descia até o terminal atrás do Baltimore, descortinando a visão da grande cúpula e do verde da folhagem macia, pontilhada de telhados, da antiga colina do outro lado do rio e o alto pináculo colonial da Primeira Igreja Batista, pintada de vermelho na mágica luz do crepúsculo destacando-se contra o fundo íngreme de fresca verdura primaveril.

Velha Providence! Foram este lugar e as forças misteriosas de sua longa e contínua história que o haviam feito nascer e o haviam atraído para maravilhas e segredos cujas fronteiras nenhum profeta poderia delimitar. Aqui se encontravam os mistérios, fantásticos ou medonhos, para os quais todos aqueles anos de viagens e estudos o haviam preparado. Um táxi levou-o rapidamente através da praça do Correio com a vista rápida do rio, o antigo edifício do Mercado e a ponta da enseada, subindo pela curva íngreme de Waterman Street até Prospect, onde a vasta cúpula resplandecente e as colunas jônicas banhadas pelo poente da Igreja da Ciência Cristã acenavam ao norte. E, depois de oito quadras, as belas mansões antigas que seus olhos de criança haviam conhecido, e as exóticas calçadas de tijolos tantas vezes percorridas por seus pés juvenis. E finalmente a pequena casa branca da fazenda que havia sido invadida à direita, à esquerda a clássica varanda Adam e a imponente fachada com as janelas salientes do casarão de tijolos onde havia nascido. Era o crepúsculo, e Charles Ward estava de volta.

5

Uma corrente da psiquiatria, um pouco menos acadêmica do que a do doutor Lyman, atribui à viagem de Ward à Europa o início de sua verdadeira loucura. Admitindo que o jovem fosse são ao partir, ela acredita que sua conduta na volta implica uma mudança desastrosa. Mas o doutor Willett recusa-se a concordar mesmo com esta afirmação. Algo ocorreu mais tarde, ele insiste, e atribui as esquisitices do jovem nessa fase à prática de rituais aprendidos no exterior – coisas bastante estranhas, em verdade, mas que absolutamente não implicam aberrações mentais por parte de seu celebrante. O próprio Ward, embora visivelmente envelhecido e calejado, ainda era normal em suas reações gerais e, em várias conversas com Willett, mostrara um equilíbrio que nenhum louco – mesmo um louco incipiente – poderia fingir continuamente por muito tempo. O que suscitou a ideia de insanidade nesse período foram os *sons* que provinham a todas as horas do laboratório de Ward na mansarda, na qual ele permanecia pela maior parte do tempo. Eram recitações, repetições e tonitroantes declamações em ritmos misteriosos; e embora esses sons fossem sempre na própria voz de Ward, havia algo na qualidade daquela voz e nas entonações das fórmulas pronunciadas que não podia deixar de gelar o sangue de qualquer ouvinte. As pessoas observavam que Nig, o venerando e adorado gato preto da casa, ficava sobressaltado e arqueava visivelmente as costas quando se ouviam certos sons.

Os odores que ocasionalmente emanavam do laboratório eram do mesmo modo extremamente estranhos. Às vezes eram mefíticos, mas mais frequentemente aromáticos, com uma característica obsedante e evanescente que parecia ter o poder de criar imagens fantásticas. As pessoas que os aspiravam tinham a tendência a vislumbrar miragens momentâneas de paisagens enormes, com estranhos montes ou avenidas intermináveis de esfinges e hipogrifos estendendo-se por uma distância infinita. Ward não retomou as perambulações de outrora, mas se aplicou diligentemente aos estranhos livros que trouxera para casa e a investigações igualmente estranhas em seus próprios aposentos, explicando que as fontes europeias haviam ampliado enormemente as possibilidades de seu trabalho e prometendo grandes revelações nos próximos anos. Seu aspecto envelhecido acentuou em grau espantoso sua semelhança com o retrato de Curwen na biblioteca e o doutor Willett frequentemente se detinha ao lado deste depois de uma visita, espantando-se com a virtual identidade e refletindo que agora só restava a pequena cova sobre o olho direito do retrato para diferenciar o bruxo, há muito tempo falecido, do jovem vivo. Essas visitas de Willett, feitas a pedido do casal Ward, eram curiosas. Em nenhum momento Ward repeliu o médico, mas este percebia que jamais conseguiria apreender a psicologia íntima do jovem. Frequentemente observava coisas peculiares à sua volta: pequenas imagens de cera de desenho grotesco sobre as estantes ou as mesas e os restos semiapagados de círculos, triângulos e pentagramas traçados com giz ou carvão no espaço livre no centro do amplo aposento. E, à noite, sempre ressoavam aqueles ritmos e encantamentos estrondosos, até que se tornou muito difícil manter os empregados ou acabar com os comentários furtivos sobre a loucura de Charles.

Em janeiro de 1927, ocorreu um incidente peculiar. Certa vez, por volta da meia-noite, enquanto Charles entoava um ritual cuja cadência irreal ecoava de modo desagradável pelos andares inferiores da casa, de repente soprou uma rajada de vento gélido da baía, e sentiu-se um ligeiro e inexplicável tremor de terra que todos na vizinhança notaram. Ao mesmo tempo, o gato mostrou sinais fenomenais de terror, enquanto os cães latiam em até uma milha de distância. Era o prelúdio de uma violenta tempestade, anormal naquela estação, durante a qual ouviu-se um estalo tão forte que o senhor e a senhora Ward pensaram que a casa tivesse sido atingida por um raio. Correram para cima para ver os estragos, mas Charles os atendeu à porta da mansarda, pálido, resoluto e sinistro, com uma mistura quase temível de triunfo e seriedade em seu rosto. Assegurou-os de que a casa não havia sido atingida e que a tempestade logo acabaria. Eles pararam e, ao olharem pela janela, viram que o rapaz estava certo; os raios iam se distanciando, enquanto as árvores já não se curvavam à estranha rajada gélida que vinha do mar. O trovão foi abrandando numa espécie de resmungo abafado e finalmente cessou. As estrelas apareceram e a marca do triunfo no rosto de Charles Ward cristalizou-se numa expressão bastante singular.

Durante dois meses ou mais, depois desse incidente, Ward manteve-se menos segregado em seu laboratório do que de costume. Ele exibia um curioso interesse pelo tempo e fazia estranhas perguntas a respeito da época do degelo da primavera. Uma noite, no fim de março, saiu de casa após a meia-noite e só voltou perto do amanhecer, quando sua mãe, que estava acordada, ouviu o ruído de um motor subir pela alameda. Podia-se distinguir palavrões abafados e a senhora Ward, levantando-se e indo até a janela, viu quatro vultos escuros retirarem uma caixa comprida e pesada de um caminhão sob a orientação de Charles, carregando-a ao interior da casa pela porta lateral. Ela ouviu respirações arquejantes e passos pesados sobre as escadas e, finalmente, um baque surdo na mansarda; depois disso os passos desceram, os quatro homens reapareceram fora da casa e partiram em seu caminhão.

No dia seguinte, Charles retomou sua rígida reclusão na mansarda, descendo as cortinas escuras das janelas do laboratório e aparentemente dedicando-se ao trabalho com alguma substância metálica. Ele não abria a porta para ninguém e recusava peremptoriamente toda a comida que lhe era oferecida. Perto de meio-dia ouviu-se uma pancada violenta seguida por um grito terrível e uma queda, mas quando a senhora Ward bateu à porta o filho demorou a responder e, com voz fraca, disse que não havia acontecido nada. Explicou que o fedor horrendo e indescritível que agora se espalhava era absolutamente inócuo e infelizmente necessário, que o isolamento era o elemento essencial e que desceria atrasado para o jantar. Naquela tarde, ao terminarem os estranhos sons sibilantes que vinham de trás da porta trancada, Charles por fim apareceu, com um aspecto extremamente perturbado e proibindo a quem quer que fosse o ingresso no laboratório, sob qualquer pretexto. Este, em realidade, seria o começo de um novo período de sigilo; porque a partir de então nunca mais nenhuma outra pessoa teria a permissão de visitar a misteriosa oficina na água-furtada ou o quarto de despejo adjacente que ele limpara, mobiliando-o toscamente, e acrescentara, como dormitório, ao seu domínio inviolavelmente privado. Ali ele viveu, com os livros trazidos da biblioteca do andar de baixo, até que adquiriu um bangalô em Pawtuxet e para lá se mudou com todos os seus pertences científicos.

À noite, Charles apoderou-se do jornal antes dos outros membros da família e rasgou uma parte, aparentemente por acidente. Mais tarde, o doutor Willett, que descobriu a data pelas declarações das várias pessoas da casa, pesquisou uma cópia intacta do jornal na redação do *Journal* e descobriu, na parte destruída, o seguinte artigo:

Violadores Noturnos Surpreendidos no Cemitério Norte

Robert Hart, guarda-noturno do Cemitério Norte, descobriu esta manhã um grupo de homens com um caminhão na parte mais antiga do cemitério, mas aparentemente assustou-os antes que concluíssem o que pretendiam.

A descoberta ocorreu por volta das quatro horas da manhã, quando a atenção de Hart foi despertada pelo ruído de um motor do lado de fora do seu abrigo. Ao fazer uma averiguação, viu um caminhão grande na alameda principal, a muitas varas de distância, mas não conseguiu alcançá-lo porque o barulho dos seus passos revelou sua presença. Os homens colocaram apressadamente uma grande caixa no caminhão e rumaram para a rua antes que pudessem ser detidos; e como nenhum túmulo conhecido foi molestado, Hart acredita que os homens pretendiam enterrar a própria caixa.

Os profanadores deviam estar cavando há muito tempo antes de serem surpreendidos, porque Hart encontrou uma cova enorme aberta a uma distância considerável da alameda no setor de Amosa Field, onde a maioria das antigas lápides desapareceu há muito tempo. O buraco, uma cova larga e profunda como um túmulo, estava vazio; e não coincidia com nenhuma sepultura indicada nos registros do cemitério.

O sargento Riley, do Segundo Distrito de Polícia, vistoriou o local e opinou que o buraco foi cavado por contrabandistas que, numa atitude revoltante e engenhosa, procuravam um esconderijo seguro para suas bebidas num lugar que não seria molestado. Em resposta às perguntas que lhe foram feitas, Hart disse que achava que o caminhão fugitivo rumara para a Rochambeau Avenue, embora não tivesse certeza disso.

Nos dias seguintes, Charles Ward raramente foi visto pela família. Como anexara um cômodo para dormir ao seu reino na mansarda, isolava-se em seus aposentos, ordenando que a comida fosse levada até a porta, e só a apanhava quando o empregado havia se retirado. O salmodiar de fórmulas em tom monótono e a entoação de ritmos bizarros ocorria a intervalos, enquanto em outros momentos ocasionais ouvintes poderiam distinguir o tinido de vidros, silvos de substâncias químicas, o ruído de água corrente ou o reboar de chamas de gás. Odores dos mais indescritíveis, totalmente diferentes de quaisquer outros notados antes, flutuavam às vezes nas proximidades da porta; e um ar de tensão era observado no jovem recluso sempre que se aventurava brevemente para fora, estimulando a especulação mais intensa. Uma vez ele realizou uma saída até o Ateneu para buscar um livro de que precisava, e depois contratou um mensageiro para buscar um volume totalmente desconhecido em Boston. A situação não deixava pressagiar nada de bom e tanto a família quanto o doutor Willett confessavam-se totalmente sem saber o que fazer ou pensar a respeito.

6

Então, no dia 15 de abril, deu-se um fato estranho. Embora nada diferente ocorresse em gênero, houve com certeza uma diferença realmente terrível em grau, e o doutor Willett de certa forma atribui grande importância à mudança. Era a Sexta-Feira Santa, circunstância muito importante para os empregados, mas que outros menosprezam por considerá-la uma coincidência irrelevante. No fim da tarde, o jovem Ward começou a repetir certa fórmula num tom singularmente elevado, queimando ao mesmo tempo alguma substância de cheiro tão penetrante que seus vapores se expandiram por toda a casa. A fórmula era tão claramente audível no corredor, do outro lado da porta trancada, que a senhora Ward não pôde deixar de memorizá-la enquanto esperava e ouvia ansiosamente e mais tarde conseguiu escrevê-la a pedido do doutor Willett. Os especialistas disseram ao doutor Willett que seu equivalente mais próximo podia ser encontrado nos escritos místicos de "Eliphas Levi", aquele espírito misterioso que se insinuou por uma fenda da porta proibida e teve um rápido vislumbre das terríveis visões do vazio além. Seu teor era o seguinte:

"Per Adonai Eloim, Adonai Jehova,
Adonai Sabaoth, Metraton Ou Agla Methon,
verbum pythonicum, mysterlum salamandrae,
cenventus sylvorum, antra gnomorum,
daemonia Coeli God, Almonsin, Gibor,
Jehosua, Evam, Zariathnatmik, Veni, veni, veni".

A recitação continuava há duas horas sem alteração ou interrupção quando se desencadeou por toda a vizinhança um pandemônio de latidos de cachorros. A dimensão desses latidos pode ser julgada pelo espaço que lhe foi dedicado pelos jornais no dia seguinte, mas para as pessoas da residência dos Ward foi sobrepujada pelo odor que instantaneamente se seguiu; um odor horrível, que penetrou em toda parte, jamais sentido antes nem depois. Em meio a esse fluxo mefítico apareceu uma luz muito nítida como a do relâmpago, que poderia ofuscar e impressionar não fosse dia pleno; e então ouviu-se *a voz* que nenhum ouvinte jamais poderá esquecer por causa de seu tonitroante tom distante, sua incrível profundidade e sua dessemelhança sobrenatural da voz de Charles Ward. Abalou a casa e foi claramente ouvida pelo menos por dois vizinhos, apesar do uivo dos cães. A senhora Ward, que ouvia desesperada fora da porta trancada do laboratório do filho, ficou arrepiada ao reconhecer seu sentido diabólico, pois Charles lhe havia contado sua má fama nos livros secretos e a maneira como reboara, segundo as cartas de Fenner, sobre a casa de Pawtuxet condenada à destruição na noite do extermínio de Joseph Curwen. Não havia como equivocar-se quanto à frase apavorante, pois Charles a havia descrito de modo muito vivo em outros tempos, quando conversava com franqueza de suas investigações sobre Curwen. E no entanto era apenas um fragmento numa linguagem arcaica e esquecida: "DIES MIES JESCHET BOENE DOESEF DOUVE-MA ENITEMAUS".

Logo após esse reboar a luz do dia escureceu momentaneamente, embora o pôr do sol demorasse ainda uma hora, e então seguiu-se uma lufada de outro odor, diferente do primeiro, mas igualmente desconhecido e intolerável. Charles recitava de novo em tom monótono e sua mãe ouvia as sílabas que soavam como "Yinash-Yog-Sothoth-he-lglb-fi-throdag"– acabando com um "Yah!" cuja força desvairada subia num crescendo de arrebentar os tímpanos. Um segundo mais tarde, todas as lembranças anteriores foram apagadas pelo grito lamentoso que irrompeu com uma explosividade desvairada e gradativamente foi se transformando num paroxismo de risadas diabólicas e histéricas. A senhora Ward, com aquela mistura de medo e coragem cega própria da maternidade, aproximou-se e bateu alarmada à porta ocultadora, mas não obteve nenhum sinal de reconhecimento. Bateu de novo, mas parou impotente quando um segundo grito se levantou, dessa vez na voz inconfundível e familiar de seu filho, ao mesmo tempo em que a outra voz ria desmedidamente. Em seguida, ela desmaiou e ainda é incapaz de lembrar a causa precisa e imediata. A memória às vezes apaga piedosamente certas lembranças.

O senhor Ward voltou do trabalho às seis e quinze e, não encontrando a esposa no andar térreo, foi informado pelos empregados apavorados que provavelmente ela estava diante da porta de Charles, da qual vinham sons mais estranhos do que nunca. Subindo de imediato as escadas, viu a senhora Ward estirada no chão do corredor fora do laboratório e, ao perceber que ela havia desmaiado, apressou-se a buscar um copo de água de uma jarra numa alcova próxima. Borrifou o líquido frio em seu rosto e sentiu-se reanimado ao perceber uma reação imediata da parte dela; observava-a enquanto seus olhos se abriam perplexos quando um calafrio o percorreu e ameaçou reduzi-lo ao mesmo estado do qual ela estava se recobrando. Pois o laboratório não era tão silencioso como parecia ser, mas emanava os murmúrios de uma conversação tensa e abafada, em tons demasiado baixos para que fosse possível compreendê-los e, contudo, de uma qualidade profundamente perturbadora para a alma.

Evidentemente, não era uma novidade que Charles resmungasse fórmulas, mas esse resmungo era definidamente diferente. Era claramente um diálogo, ou uma imitação de inflexões sugerindo pergunta e resposta, afirmação e réplica. Uma voz era inconfundivelmente a de Charles, mas a outra tinha uma profundidade e um timbre profundo e cavernoso que, apesar dos maiores poderes de imitação, o jovem jamais havia conseguido reproduzir. Tinha algo de medonho, blasfemo e anormal, e não fosse um grito de sua mulher que voltava a si, clareando sua mente e despertando nele seu instinto de proteção, é muito provável que Theodore Howland Ward não conseguisse manter por quase um ano ainda seu velho motivo de orgulho, o fato de jamais ter desmaiado. Pegou a esposa nos braços e a carregou para baixo antes que ela pudesse perceber as vozes que o haviam perturbado de modo tão horrível. Mesmo assim, porém, não foi suficientemente rápido para ele mesmo deixar de captar algo que fez com que cambaleasse perigosamente com sua carga. Pois o grito da senhora Ward evidentemente havia sido ouvido por outros além dele e em resposta vieram de trás da porta trancada as primeiras palavras compreensíveis pronunciadas naquele colóquio camuflado e terrível. Não passavam de uma excitada advertência na voz do próprio Charles, mas de algum modo suas implicações produziram um terror indescritível no pai que as ouviu. A frase foi apenas isto: *"Sshh! – Escreva."*

O senhor e a senhora Ward debateram longamente o caso após o jantar e o primeiro resolveu ter uma conversa firme e séria com Charles naquela mesma noite. Não importava quão importante fosse o objetivo, esse comportamento não seria mais permitido; pois os últimos acontecimentos ultrapassavam todo limite da razão e constituíam uma ameaça à ordem e ao bem-estar de todos na casa. O jovem devia de fato estar totalmente fora de si, pois só a loucura completa poderia provocar gritos tão selvagens e conversações imaginárias em vozes simuladas como naquele dia. Tudo isto deveria parar ou a senhora Ward adoeceria e se tornaria impossível conservar a criadagem.

O senhor Ward levantou-se no fim da refeição e começou a subir as escadas rumo ao laboratório de Charles. No entanto, no terceiro andar, ele parou ao ouvir os sons procedentes da biblioteca do filho, agora em desuso. Os livros, aparentemente, estavam sendo atirados pela sala e os papéis eram amassados de modo frenético, e ao chegar à porta o senhor Ward observou o jovem no interior do cômodo, reunindo excitado uma enorme braçada de material literário de todos os tamanhos e formatos. O aspecto de Charles era muito tenso e conturbado e ele largou tudo sobressaltado ao som da voz do pai. À sua ordem sentou-se e por alguns momentos ouviu as admoestações que há muito merecia. Não houve cenas. No final do sermão, concordou que o pai estava certo e que as vozes, resmungos, fórmulas cabalísticas e odores químicos eram de fato incômodos imperdoáveis. Concordou com métodos mais calmos, embora insistisse num prolongamento de seu extremo isolamento. Grande parte de seu trabalho futuro, disse ele, em todo caso consistiria exclusivamente em pesquisa em livros e poderia conseguir um alojamento em algum outro lugar para realizar todos os rituais vocais necessários num outro estágio. Pelo medo e o desmaio da mãe expressou sua mais profunda contrição e explicou que a conversação ouvida mais tarde fazia parte de um elaborado simbolismo destinado a criar uma determinada atmosfera mental. O emprego de abstrusos termos químicos confundiu um pouco o senhor Ward, mas a última impressão ao despedir-se do filho foi de inegável sanidade mental e equilíbrio, apesar de uma misteriosa tensão da maior gravidade. A entrevista, na realidade, foi de todo inconclusiva e, enquanto Charles recolhia do chão sua braçada de livros e deixava o quarto, o senhor Ward não sabia o que fazer com toda essa história. Era tão misteriosa quanto a morte do pobre velho Nig, cujo corpo enrijecido, os olhos esbugalhados e a boca contorcida pelo medo, havia sido encontrado uma hora antes no subsolo da casa.

Levado por um vago instinto de detetive, o confuso genitor agora fixava com curiosidade as prateleiras vazias para ver o que seu filho havia levado para a mansarda. A biblioteca do jovem era classificada de maneira simples e rígida, de modo que bastava uma olhada para saber que livros ou pelo menos que tipo de livros haviam sido retirados. Nessa ocasião, o senhor Ward ficou espantado ao verificar que nada que falasse de ocultismo ou arqueologia estava faltando, além daquilo que já havia sido retirado. Os livros que acabava de retirar eram todos sobre assuntos modernos: história, tratados científicos, geografia, manuais de literatura, obras filosóficas e alguns jornais e revistas contemporâneos. Tratava-se de uma mudança muito curiosa no rumo recente das leituras de Charles Ward e o pai se deteve num crescente turbilhão de perplexidade e na sensação avassaladora de algo inexplicável. O inexplicável era uma sensação muito aguda e quase dilacerava seu peito enquanto se esforçava por entender o que havia de errado ao seu redor. Alguma coisa em realidade estava errada, tanto material quanto espiritualmente. Desde que penetrara nesse aposento sabia que algo estava errado e finalmente se deu conta do que era.

Na parede norte ainda estava a antiga peça trabalhada de madeira da casa de Olney Court, mas o óleo rachado e precariamente restaurado do grande retrato de Curwen sofrera um desastre. O tempo e o calor desigual haviam enfim realizado o seu trabalho, e desde a última limpeza da peça o pior havia acontecido. Com a madeira evidentemente descascada, cada vez mais empenada e por fim esmigalhada com uma rapidez diabolicamente silenciosa, o retrato de Joseph Curwen renunciara para sempre a vigiar o jovem ao qual se assemelhava de um modo tão estranho e agora jazia espalhado sobre o solo transformado numa camada de fino pó cinza-azulado.

Capítulo quatro
Mutação e loucura

1

Na semana que se seguiu àquela memorável Sexta-feira Santa, Charles Ward foi visto com frequência maior do que de costume e sempre carregando livros entre sua biblioteca e o laboratório na mansarda. Seus atos eram calmos e racionais, mas ele tinha um olhar furtivo e atormentado que não agradava absolutamente à mãe, e mostrava um apetite incrivelmente ávido, proporcional às exigências que dera de fazer ao cozinheiro.

O doutor Willett foi informado dos ruídos e acontecimentos daquela sexta-feira e na terça-feira seguinte teve uma conversa com o jovem na biblioteca onde o quadro já não ficava vigiando. A entrevista foi, como sempre, inconclusiva; mas Willett ainda está disposto a jurar que o jovem era são e dono de si naquela ocasião. Fez promessas de uma próxima revelação e falou da necessidade de montar um laboratório em algum outro lugar. A falta do retrato entristeceu-o singularmente pouco, considerando seu primitivo entusiasmo pela peça, mas parecia encontrar certo humor positivo em sua repentina desintegração.

Aproximadamente na segunda semana, Charles começou a se ausentar da casa por longos períodos, e um dia, quando a boa e velha negra Hannah veio para ajudar na limpeza da primavera, ela mencionou suas frequentes visitas à velha casa de Olney Court aonde ele costumava ir com uma grande valise e realizar curiosas buscas no porão. O jovem era muito pródigo com ela e o velho Asa, mas parecia mais preocupado do que costumava ser, o que muito a entristecia, porque cuidara dele desde o nascimento.

Outro relato de suas ações veio de Pawtuxet, onde alguns amigos da família o haviam visto de longe um número surpreendente de vezes. Ele parecia frequentar o clube e a garagem dos barcos de Rhodes-on-the-Paw-tuxet e subsequentes investigações do doutor Willett naquele local revelaram que seu objetivo era conseguir o acesso à margem do rio protegida por cercas ao longo da qual caminhava em direção ao norte, em geral só reaparecendo muito tempo depois.

No fim de maio houve uma retomada momentânea dos sons ritualísticos no laboratório da mansarda que provocou uma severa reprovação do senhor Ward e uma promessa um tanto distraída de Charles de que se emendaria. Aconteceu numa manhã e parecia uma continuação da conversa imaginária ouvida naquela sexta-feira turbulenta. O jovem estava discutindo ou queixando-se calorosamente consigo mesmo, pois repentinamente jorrou uma série perfeitamente compreensível de gritos estrepitosos em tons diferenciados como perguntas e negativas alternadas, que fez a senhora Ward subir as escadas e ficar ouvindo à porta. Não conseguiu apreender senão um fragmento cujas únicas palavras nítidas foram "tem de ficar vermelho por três meses", e assim que ela bateu à porta todos os sons cessaram de chofre. Quando o pai mais tarde inquiriu Charles, este disse que existiam certos conflitos das esferas da consciência que somente com grande habilidade poderia evitar, mas que tentaria transferir para outros domínios.

Por volta de meados de junho, ocorreu um estranho incidente noturno. À noitinha, ouviram-se alguns ruídos e baques surdos em cima, no laboratório, e o senhor Ward estava pronto a verificar, mas tudo subitamente se acalmou. À meia-noite, depois que a família se recolheu, o mordomo foi trancar as portas da frente da casa quando, segundo declarou, Charles surgiu um pouco desajeitado e inseguro ao pé das escadas com uma enorme mala, fazendo-lhe sinal de que desejava sair. O jovem não pronunciou uma única palavra, mas o honrado cidadão de Yorkshire notou rapidamente os olhos febris e tremeu sem motivo nenhum. Abriu a porta e o jovem Ward saiu, mas pela manhã o mordomo comunicou à senhora Ward que pretendia se demitir. Ele disse que havia algo temível no olhar que Charles pousara sobre sua pessoa. Não era a maneira de um jovem cavalheiro olhar um homem honesto e ele não teria condições de suportar sequer outra noite daquelas. A senhora Ward concordou com a saída do empregado, mas não deu muita importância à sua afirmação. Era ridículo imaginar Charles alterado naquela noite, pois por todo o tempo em que ela permanecera acordada ouvira sons fracos vindo do laboratório em cima; sons como de soluços e passos e um suspiro que revelava o mais profundo desespero. A senhora Ward acostumara-se a ficar ouvindo à noite, pois os mistérios de seu filho logo afastavam todas as outras preocupações de sua mente.

Na noite seguinte, como numa outra quase três meses antes, Charles Ward pegou o jornal muito cedo e acidentalmente perdeu a seção principal. Este fato só foi lembrado mais tarde, quando o doutor Willett começou a analisar os detalhes e a procurar os elos que estavam faltando. Na redação do *Journal* ele encontrou a seção que Charles havia perdido e marcou duas notas de possível importância. Diziam o seguinte:

Mais Escavações no Cemitério

Hoje pela manhã, o vigia noturno do Cemitério Norte, Robert Hart, descobriu que profanadores voltaram a atacar na parte antiga do local. O túmulo de Ezra Weeden, nascido em 1740 e falecido em 1824, segundo a pedra tumular arrancada e selvagemente despedaçada, foi escavado em profundidade e saqueado, sendo que o trabalho foi evidentemente feito com uma pá roubada do depósito de utensílios adjacente.

Qualquer que fosse seu conteúdo após mais de um século, tudo havia desaparecido, com exceção de umas poucas lascas de madeira apodrecida. Não havia marcas de rodas, mas a polícia analisou algumas pegadas encontradas nas proximidades que indicam botas de uma pessoa refinada.

Hart está propenso a relacionar esse incidente com as escavações descobertas em março passado, quando um grupo de homens utilizando um caminhão fugiu enquanto realizava uma profunda escavação; mas o sargento Riley, da Segunda Delegacia, descarta essa teoria e assinala duas diferenças vitais nos dois casos. Em março, a escavação foi feita num ponto em que reconhecidamente não existia nenhum túmulo; dessa vez, foi pilhada uma tumba bem-definida e cuidada, sendo que todas as evidências mostram tratar-se de um objetivo deliberado e uma perversidade consciente expressa-se na laje despedaçada, a qual estava intacta até o dia anterior.

Membros da família Weeden, notificados a respeito do acontecimento, expressaram sua surpresa e dor e mostraram-se totalmente incapazes de pensar em um inimigo que tivesse interesse em violar o túmulo de seu antepassado. Hazard Weeden, morador do número 598 de Angell Street, lembrou de uma lenda da família segundo a qual Ezra Weeden se envolvera em certas circunstâncias bastante peculiares, nada desonrosas para sua pessoa, pouco antes da Revolução; mas ele ignora completamente qualquer inimizade ou mistério na época atual. O inspetor Cunningham foi destinado ao caso, e espera descobrir alguns indícios valiosos no futuro próximo.

Cães Barulhentos em Providence

Cidadãos residentes em Pawtuxet foram despertados por volta das três horas da manhã de hoje com um fenomenal latido de cães que parecia provir do rio ao norte de Rhodes-on-the-Pawtuxet. O volume e a qualidade dos latidos eram estranhamente descomunais, segundo a maioria das pessoas que os ouviram; e Fred Lemdin, vigia noturno em Rhodes, declarou que o ruído se misturava aos gritos de um homem presa de um terror e uma agonia mortal. Uma forte tempestade de curta duração, que parecia atingir um ponto nas proximidades da margem do rio, pôs fim à alteração. Odores estranhos e desagradáveis, provavelmente procedentes dos tanques de óleo ao longo da baía, estão sendo por todos relacionados a este incidente e podem ter contribuído para excitar os cachorros.

O aspecto de Charles agora tornara-se muito conturbado e atormentado e todos concordaram posteriormente que nesse período ele talvez desejasse prestar alguma declaração ou fazer uma confissão das quais se abstinha por mero terror. O hábito mórbido da mãe de ficar ouvindo à noite revelou que ele realizava saídas frequentes, protegido pela escuridão, e a maioria dos psiquiatras mais acadêmicos concorda atualmente em culpá-lo pelos revoltantes casos de vampirismo que a imprensa relatou de modo tão sensacionalista na época, mas cuja autoria ainda não pôde ser concretamente apontada. Esses casos, tão recentes e comentados que dispensam detalhes, envolveram vítimas de todas as idades e tipos e aparentemente concentraram-se em duas localidades distintas: a colina residencial e o North End, perto da residência dos Ward, e os bairros suburbanos do outro lado da linha Cranston perto de Pawtuxet. Notívagos e pessoas que dormiam de janelas abertas foram igualmente atacados, e as que sobreviveram para contar a história foram unânimes em descrever um monstro magro, ágil, que pulava, com olhos de fogo, que cravava seus dentes na garganta ou no antebraço e se satisfazia sofregamente.

O doutor Willett, que se recusa a datar a loucura de Charles Ward até mesmo nesta época, mostra-se cauteloso ao tentar explicar esses horrores. Ele afirma possuir certas teorias próprias e limita suas declarações positivas a um tipo peculiar de negação. "Não pretendo", diz ele, "apontar quem ou o que acredito tenha perpetrado esses ataques e assassinatos, mas declaro que Charles Ward era inocente. Tenho razões para garantir que ele ignorava o gosto do sangue, como de fato seu contínuo definhamento físico, em função da anemia, e uma crescente palidez comprovam mais do que qualquer argumento verbal. Ward se envolveu com coisas terríveis, mas pagou por isto, ele jamais foi um monstro ou um vilão. Quanto ao que está acontecendo agora, nem gosto de pensar. Houve uma mudança e quero crer que o velho Charles Ward morreu com ela. Sua alma morreu, de qualquer maneira, mas o corpo tresloucado que desapareceu do hospital de Waite tinha outra".

Willett fala com autoridade, pois frequentemente visitava a residência dos Ward para cuidar da senhora Ward, cujos nervos começavam a ceder por causa da tensão. O hábito de ficar ouvindo durante a noite gerara alucinações mórbidas que ela confiava com certa hesitação ao médico, o qual as levava na brincadeira em suas conversas com ela, embora o fizessem meditar profundamente quando estava sozinho. Esses delírios sempre diziam respeito aos sons fracos que imaginava ouvir no laboratório e no quarto de dormir da mansarda, e enfatizavam a ocorrência de suspiros e soluços abafados nas horas mais impossíveis. No início de julho, Willett ordenou que a senhora Ward passasse uma temporada em Atlantic City por tempo indefinido a fim de se recuperar e recomendou ao senhor Ward e ao tresloucado e esquivo Charles que escrevessem para ela somente cartas confortadoras. É provavelmente a esta fuga forçada e relutante que ela deve sua vida e sua saúde mental.

2

Não muito tempo depois da viagem da mãe, Charles Ward iniciou as negociações para adquirir o bangalô de Pawtuxet. Era um edifício esquálido e pequeno de madeira, com uma garagem de concreto, encarapitado no alto da margem do rio, escassamente habitada, pouco acima de Rhodes, mas por alguma estranha razão o jovem só queria aquela. Não deu sossego às corretoras de imóveis até que uma delas o conseguiu para ele, a um preço exorbitante, de um proprietário um tanto relutante. Assim que vagou, tomou posse da casa protegido pela escuridão, transportando num grande caminhão fechado todos os apetrechos de seu laboratório da mansarda, inclusive os livros, tanto os de magia quanto os modernos, que tomara emprestado para seus estudos. Mandou que o caminhão fosse carregado às primeiras horas da negra madrugada e seu pai lembra apenas ter ouvido, em meio ao sono, imprecações abafadas e ruído de passos na noite em que as coisas foram retiradas. Depois disso, Charles voltou a ocupar seus aposentos no terceiro andar e nunca mais voltou à mansarda.

Para o bangalô de Pawtuxet Charles transferiu todo o sigilo no qual cercara seus domínios da mansarda, com a exceção de que agora aparentemente havia duas pessoas que compartilhavam seus mistérios; um mestiço português de aspecto detestável, da zona do porto de South Main Street, que exercia as funções de criado, e um estrangeiro magro, com o aspecto de um estudioso, óculos escuros e barba curta que parecia tingida, provavelmente um colega. Os vizinhos tentaram em vão manter alguma conversação com estas estranhas pessoas. O mulato Gomes falava muito pouco inglês e o sujeito barbudo, que dissera chamar-se doutor

Allen, seguia voluntariamente seu exemplo. O próprio Ward tentou ser mais afável, mas só conseguiu provocar a curiosidade com seus relatos desconexos a respeito de pesquisas químicas. Logo começaram a circular estranhas histórias referentes a luzes acesas a noite toda, e um pouco mais tarde, depois que cessaram, surgiram histórias mais esquisitas ainda sobre encomendas descomunais de carne no açougue e gritos, entoações abafadas, recitações rítmicas e berros supostamente provenientes de algum local subterrâneo e profundo debaixo da casa. É evidente que a nova e estranha residência era profundamente detestada pela honesta burguesia da vizinhança, e não é de estranhar se foram levantadas terríveis suspeitas ligando seus habitantes à atual epidemia de ataques vampirescos, em particular devido ao fato de que o raio de ação parecia agora restringir-se totalmente a Pawtuxet e às ruas adjacentes de Edgewood.

Ward passava a maior parte de seu tempo no bangalô, mas ocasionalmente dormia em casa e ainda era reconhecido como residente na casa do pai. Duas vezes ausentou-se da cidade em viagens que duraram toda uma semana, cuja destinação ainda não foi descoberta. Foi ficando cada vez mais pálido e emaciado do que antes e já não mostrava a mesma segurança ao repetir ao doutor Willett sua velhíssima história a respeito de pesquisas de importância vital e de futuras revelações. Willett frequentemente seguia-o sem ser visto até a casa do pai, pois o senhor Ward estava muito preocupado e perplexo e desejava que o filho fosse vigiado na medida do possível, em se tratando de um adulto tão misterioso e independente. O médico ainda insiste que o jovem era são de mente mesmo nessa época e aduz muitas conversações para comprovar essa convicção.

Por volta de setembro, o vampirismo declinou, mas, em janeiro do ano seguinte, Ward quase se envolveu em problemas sérios. Havia algum tempo as chegadas e partidas noturnas de caminhões no bangalô de Pawtuxet eram motivo de comentários e a essa altura um acontecimento imprevisto revelou a natureza de pelo menos uma das suas cargas. Num local solitário, perto de Hope Valley, ocorreu uma das frequentes e sórdidas emboscadas a caminhões por obra de assaltantes visando carregamentos de uísque, mas dessa vez os bandidos estavam destinados a levar um enorme choque. Pois, ao serem abertas, as longas caixas roubadas revelaram um conteúdo extremamente asqueroso, em realidade tão asqueroso que a coisa não pôde ser abafada entre os membros do submundo. Os ladrões enterraram precipitadamente o que haviam descoberto, mas, quando a polícia do estado foi informada do caso, empreendeu-se uma cuidadosa busca. Um vagabundo preso havia pouco tempo, em troca da garantia de isenção de acusações adicionais, consentiu por fim em conduzir um grupo de milicianos até o local e no esconderijo improvisado foi descoberta uma coisa absolutamente asquerosa e vergonhosa. Não ficaria bem para o senso de decoro nacional – ou mesmo internacional – se o público viesse a saber o que foi descoberto por aquele grupo horrorizado. Não havia dúvidas, mesmo para policiais sem muito preparo; vários telegramas foram enviados a Washington com febril rapidez.

As caixas eram endereçadas a Charles Ward em seu bangalô de Pawtuxet e agentes estaduais e federais imediatamente fizeram-lhe uma visita com propósitos enérgicos e sérios. Encontraram-no pálido e preocupado com seus dois estranhos companheiros e receberam dele o que lhes pareceu uma explicação válida e provas de inocência. Ele necessitara de certos espécimes anatômicos como parte de um programa de pesquisa cuja profundidade e autenticidade qualquer um que o conhecesse na última década poderia comprovar, e encomendara tipo e número exigidos a certas agências que ele julgara tão legítimas quanto este tipo de coisas poderia ser. Da *identidade* dos espécimes ele não sabia absolutamente nada e ficou muito chocado quando os inspetores aludiram às consequências monstruosas para o sentimento público e a dignidade nacional que o conhecimento do assunto produziria. Em sua declaração ele foi firmemente apoiado por seu colega barbudo, o doutor Allen, cuja estranha voz abafada tinha mais convicção mesmo do que o tom nervoso de Charles; de modo que no fim os agentes não adotaram nenhuma medida, mas cuidadosamente tomaram nota do nome e endereço de Nova York que Ward lhes forneceu como base para uma averiguação que não resultou em nada. Apenas é justo acrescentar que os espécimes foram rápida e silenciosamente devolvidos aos seus devidos lugares e o grande público jamais saberá de sua sacrílega perturbação.

No dia 9 de fevereiro de 1928, o doutor Willett recebeu uma carta de Charles Ward que ele considera de extraordinária importância e a respeito da qual frequentemente discutiu com o doutor Lyman. Este acredita que a carta contém provas positivas de um caso avançado de *dementia praecox;* Willett, por outro lado, considera-a a última manifestação perfeitamente sã do infeliz jovem. E chama atenção especialmente para a característica normal da caligrafia que, embora mostrando indícios de nervos em frangalhos, é nitidamente a caligrafia do próprio Ward. O texto integral é o seguinte:

> Prospect St., 100,
> Providence, R. I.,
> 8 de março de 1928.

Caro Doutor Willett,

Acho que finalmente chegou o momento de fazer as revelações que há tanto tempo lhe prometi e pelas quais o senhor insistiu em tantas ocasiões. A paciência que o senhor mostrou em esperar, e sua confiança em minha mente e integridade, são coisas que jamais deixarei de apreciar.

E agora que estou pronto para falar, devo admitir humilhado que jamais alcançarei o triunfo com o qual tanto sonhei. Em vez do triunfo encontrei o terror e minha conversa com o senhor não será o alarde da vitória, mas um apelo de ajuda e conselhos capazes de me salvar e de salvar o mundo de um horror além de toda a imaginação ou previsão humanas. O senhor lembra do que diziam as cartas de Fenner a respeito do grupo que invadiu Pawtuxet. Tudo aquilo precisa ser feito de novo – e depressa. De nós depende muito mais do que simples palavras poderiam exprimir – toda a civilização, toda lei natural, talvez mesmo o destino do sistema solar e do universo. Eu trouxe à luz uma anormalidade monstruosa, mas o fiz em nome do conhecimento. Agora, em nome de toda a vida e natureza, o senhor deve ajudar-me a rechaçá-lo de volta às trevas.

Deixei aquele lugar em Pawtuxet para sempre e nós devemos extirpar tudo o que nele existe, vivo ou morto. Não voltarei para lá e o senhor não deve acreditar se ouvir dizer que estou lá. Quando nos encontrarmos, contarei ao senhor por que digo isto. Voltei para casa definitivamente e gostaria que o senhor reservasse umas cinco ou seis horas seguidas para ouvir o que tenho a dizer. Precisarei de todo esse tempo – e acredite em mim quando lhe digo que o senhor nunca teve um dever mais autenticamente profissional do que este. Minha vida e minha razão são a coisa menos importante nisso tudo.

Não ouso falar com meu pai, ele não entenderia todo o alcance da questão. Mas eu lhe falei do perigo que estou correndo e ele contratou quatro detetives de uma agência para vigiar a casa. Não sei até que ponto poderão ajudar, pois têm contra si forças que nem mesmo o senhor poderia imaginar ou reconhecer. Portanto, venha logo se quiser me ver vivo e ouvir de que modo poderá ajudar a salvar o cosmos do inferno total.

Venha quando quiser – não sairei da casa. Não telefone de antemão, pois não é preciso dizer quem ou o que poderá tentar interceptá-lo. E rezemos a todos os deuses existentes para que nada impeça esse encontro.

Com a maior gravidade e desespero,
Charles Dexter Ward

P. S.: Atire no doutor Allen sem aviso e *dissolva seu corpo em ácido. Não o queime.*

O doutor Willett recebeu esta mensagem por volta das dez e meia da manhã e imediatamente tratou de reservar todo o fim da tarde e a noite para a grave conversa, deixando que se estendesse noite adentro tanto quanto fosse necessário. Pretendia chegar por volta das quatro da tarde e durante todo o tempo ficou tão mergulhado em toda espécie de desenfreadas especulações que executou a maior parte de seu trabalho de forma totalmente mecânica. Embora a carta pudesse parecer desvairada a um estranho, Willett tinha testemunhado tantas esquisitices de Charles Ward que não poderia menosprezá-la como mera loucura. Tinha certeza de que algo muito sutil, antigo e horrível pairava no ar e a referência ao doutor Allen era quase compreensível, considerando os boatos em Pawtuxet a respeito do enigmático colega de Ward. Willett nunca vira o homem, mas ouvira muito sobre seu aspecto e comportamento e só podia ficar imaginando que tipo de olhos aqueles comentados óculos escuros poderiam ocultar.

Solicitamente, às quatro horas, o doutor Willett apresentou-se à residência de Ward, mas constatou, para sua contrariedade, que Charles não cumprira sua determinação de permanecer em casa. Os guardas lá estavam, mas disseram que o jovem parecia ter perdido em parte sua timidez. Naquela manhã ele discutira muito, em tom aparentemente assustado, e protestara pelo telefone, disse um dos detetives, respondendo a uma voz desconhecida com frases como

"Estou muito cansado e preciso descansar um pouco", "Não posso receber ninguém por um certo tempo, precisa me desculpar", "Por favor, adie as decisões até que possamos chegar a alguma forma de compromisso", ou "Sinto muito, mas preciso tirar férias prolongadas de tudo; falarei com o senhor mais tarde". Depois, como que ganhando coragem com a meditação, escapuliu de modo tão silencioso que ninguém o viu sair ou sabia que ele havia saído até que voltou perto de uma hora da manhã e entrou em casa sem uma palavra. Subira as escadas, onde seu medo pareceu ter voltado, pois ouviram-no gritar alto e aterrorizado ao entrar em sua biblioteca, terminando numa espécie de arquejo sufocado. No entanto, quando o mordomo foi investigar o que estava acontecendo, ele apareceu à porta exibindo uma expressão atrevida e, sem falar, mandou o homem embora com um gesto que o aterrorizou de modo indescritível. Depois evidentemente ele fez alguma nova arrumação das estantes, pois ouviu-se um grande fragor, pancadas surdas e rangidos, após o que reapareceu e saiu imediatamente. Willett perguntou se havia deixado algum recado, mas responderam-lhe que não havia nada. O mordomo parecia estranhamente perturbado com alguma coisa no aspecto físico de Charles e em seu comportamento e perguntou solícito se havia esperança de cura para seus nervos abalados.

Durante quase duas horas, o doutor Willett esperou em vão na biblioteca de Charles Ward, observando as prateleiras cobertas de poeira com grandes espaços vazios de onde haviam sido retirados os livros e sorrindo severamente para o painel da chaminé na parede norte, de onde um ano antes as feições afáveis de Joseph Curwen olhavam com ar benigno para baixo. Dentro em pouco as sombras começaram a se adensar e a alegria do pôr do sol cedeu o lugar a um vago e crescente terror pairando como uma sombra no anoitecer. O senhor Ward finalmente chegou e mostrou-se muito surpreso e zangado com a ausência do filho, depois de todos os cuidados que haviam sido tomados para vigiá-lo. Ele não havia sido informado do encontro marcado por Charles e prometeu notificar Willett quando o jovem voltasse. Ao desejar boa-noite ao médico, expressou toda a sua perplexidade sobre a doença do filho e instou o visitante a fazer todo o possível para devolver o equilíbrio ao rapaz. Willett ficou feliz em fugir daquela biblioteca, pois algo assustador e anormal parecia assombrá-la, como se o quadro desaparecido tivesse deixado atrás de si uma herança diabólica. Ele nunca gostara do quadro e mesmo agora, embora seus nervos fossem fortes, do painel vazio emanava algo que o fazia sentir a urgente necessidade de sair para o ar puro o mais depressa possível.

3

Na manhã seguinte, Willett recebeu um bilhete do pai de Ward dizendo que Charles continuava ausente. O senhor Ward mencionava que o doutor Allen lhe telefonara para dizer que Charles permaneceria em Pawtuxet por mais algum tempo e não deveria ser incomodado. Isto se tornara necessário porque o próprio Allen precisara partir por um período indeterminado, deixando as pesquisas à supervisão constante de Charles. Charles enviava saudações e lamentava por todo aborrecimento que sua abrupta mudança de planos havia causado. Ao ouvir a mensagem, o senhor Ward escutou pela primeira vez a voz do doutor Allen e esta pareceu despertar alguma lembrança vaga e fugaz que não poderia identificar, mas que o perturbou até o terror.

Diante desses relatos desconcertantes e contraditórios, o doutor Willett ficou francamente sem saber o que fazer. Não era possível negar a desesperada intensidade do bilhete de Charles, contudo, o que pensar da imediata violação do compromisso assumido por seu próprio autor? O jovem Ward havia escrito que suas investigações haviam se tornado blasfemas e ameaçadoras, que estas e seu colega barbudo deviam ser eliminados a todo custo e que ele próprio nunca mais voltaria àquele cenário; no entanto, segundo informações mais recentes, esquecera tudo isto e voltara a mergulhar no mistério mais impenetrável. O bom-senso pedia que o jovem fosse deixado com suas extravagâncias, no entanto, um instinto mais profundo não permitia que a impressão provocada por aquela carta desvairada aplacasse. Willett a releu e não conseguia fazer com que sua essência soasse tão vazia e insana quanto seu palavrório bombástico e sua falta de cumprimento dos compromissos poderiam sugerir. Seu terror era demasiado profundo e real e, junto com aquilo que o médico já sabia, evocava sugestões demasiado vívidas de monstruosidade, além do tempo e do espaço, para permitir uma explicação cínica. Horrores inomináveis estavam por toda parte e ainda que muito pouco fosse possível fazer para atingi-los, era preciso estar preparado para todo tipo de ação, a qualquer momento.

Por mais de uma semana, o doutor Willett ponderou sobre o dilema que aparentemente lhe havia sido imposto e cada vez mais sentiu-se inclinado a fazer uma visita a Charles no bangalô de Pawtuxet. Nenhum amigo do jovem jamais se aventurara a invadir esse refúgio proibido e mesmo o pai só conhecia seu interior pelas descrições que ele fazia; mas Willett achou que se fazia necessária uma conversa direta com seu paciente. O senhor Ward vinha recebendo do filho bilhetes datilografados sucintos e cautelosos e disse que a senhora Ward, em seu refúgio em Atlantic City, não recebera maiores informações. Então, por fim, o médico resolveu agir e, apesar de uma curiosa sensação inspirada pelas antigas lendas sobre Joseph Curwen e pelas revelações e advertências mais recentes de Charles Ward, partiu rumo ao bangalô sobre o penhasco acima do rio.

Willett visitara o local numa ocasião anterior movido por mera curiosidade, embora, é claro, jamais tivesse entrado na casa ou anunciado sua presença, portanto, sabia exatamente que caminho tomar. Rumando pela Broad Street no início da tarde no final de fevereiro, em seu carrinho, ele pensava estranhamente sobre o implacável grupo que havia tomado aquele mesmo caminho cento e cinquenta e sete anos atrás, com uma terrível missão que ninguém jamais poderá compreender.

O percurso pelas cercanias decadentes da cidade foi curto e a bem-cuidada Edgewood e a sonolenta Pawtuxet estendiam-se à frente. Willett virou à direita descendo Lockwood Street e seguiu a estrada rural até onde lhe foi possível, depois desceu do carro e caminhou em direção ao norte até o ponto em que o penhasco dominava as belas e sinuosas curvas do rio e a linha dos baixios cobertos de névoa lá em baixo. As casas eram ainda escassas aqui e não havia como não avistar o bangalô isolado, com sua garagem de concreto num ponto elevado à sua esquerda. Subindo rapidamente o caminho de cascalho malconservado, bateu à porta com mão firme e falou sem tremer ao maldoso mulato português que a entreabriu milimetricamente.

Disse que precisava conversar imediatamente com Charles Ward sobre assuntos de importância vital. Não aceitaria nenhuma desculpa e uma recusa significaria apenas um relatório completo ao senhor Ward pai. O mulato ainda hesitava e empurrou a porta quando Willett tentou abri-la; mas o médico simplesmente levantou a voz e renovou seu pedido. Então, do interior escuro ouviu-se um murmúrio áspero que gelou o ouvinte por completo, embora não soubesse a razão do pavor. "Deixe-o entrar, Tony", dizia, "temos de falar de uma vez por todas." Mas por mais perturbador que fosse o murmúrio, o pavor maior viria logo em seguida. O assoalho rangeu e o sujeito que havia falado se mostrou – o dono daqueles sons estranhos e ressoantes não era senão Charles Dexter Ward.

A precisão com a qual o doutor Willett recordou e transcreveu a conversa daquela tarde deve-se à importância que atribui a esse período particular. Pois finalmente ele reconhece uma mudança vital na mentalidade de Charles Dexter Ward e acredita que o jovem agora se expressava com um cérebro irremediavelmente alienado em relação àquele cujo desenvolvimento havia acompanhado por vinte e seis anos. A controvérsia com o doutor Lyman o impeliu a ser muito específico e ele data definitivamente a loucura de Charles Ward no período em que os bilhetes datilografados começaram a chegar aos seus pais. Esses bilhetes não têm o estilo normal de Ward nem mesmo o estilo daquela última e desvairada carta endereçada a Willett. Ao contrário, são estranhos e arcaicos, como se o convulsionamento da mente do seu autor tivesse liberado um fluxo de tendências e impressões captadas inconscientemente pela paixão pela arqueologia na adolescência. Existe um óbvio esforço de ser moderno, mas o espírito e ocasionalmente a linguagem são os do passado.

O passado também era evidente em cada palavra e gesto de Ward ao receber o médico naquele bangalô cheio de sombras. Ele inclinou a cabeça, indicou a Willett um lugar para sentar e começou a falar abruptamente naquele estranho sussurro que tratou de explicar no início da conversa.

"Fiquei tísico", começou, "com o amaldiçoado ar desse rio. Deve desculpar minha maneira de falar. Suponho que o senhor veio a mando de meu pai para ver o que me aflige e espero que não diga nada que o possa alarmar."

Willett estudava esse tom arranhado, mas estudava com mais atenção ainda o rosto do locutor. Alguma coisa, ele sentia, estava errada e pensou naquilo que a família lhe contara a respeito do medo do mordomo de Yorkshire naquela noite. Desejou que não estivesse tão escuro, mas não pediu para erguer as cortinas. Ao contrário, simplesmente perguntou a Ward por que não cumprira o prometido na carta desesperada de pouco mais de uma semana antes.

"Estava justamente para falar nisso", replicou o anfitrião. "O senhor deve saber que meus nervos estão em muito má situação e que falo e faço coisas esquisitas sem me dar conta. Como lhe disse frequentemente, estou prestes a conseguir grandes coisas e sua grandeza me faz delirar. Qualquer pessoa ficaria apavorada com aquilo que descobri, mas não devo demorar muito tempo agora. Fui um asno em pedir os guardas e ficar em casa; tendo chegado onde cheguei, meu lugar é aqui. Meus vizinhos bisbilhoteiros falam mal de mim e talvez tenha me deixado levar pela fraqueza ao acreditar naquilo que eles dizem de mim. O que eu faço não traz prejuízos a ninguém, desde que seja benfeito. Tenha a bondade de esperar seis meses e eu lhe mostrarei algo que compensará muito bem sua paciência.

"O senhor certamente sabe que tenho meios de aprender matérias antigas de fontes mais seguras do que os livros e o senhor poderá julgar a importância da minha contribuição à história, à filosofia e às artes em razão dos meios aos quais tenho acesso. Meu antepassado possuía tudo isto quando aqueles estúpidos bisbilhoteiros vieram aqui e o assassinaram. Agora eu estou próximo de obtê-lo em parte, de modo muito imperfeito. Dessa vez nada deverá acontecer e muito menos por causa dos meus temores idiotas. Peço que esqueça tudo o que lhe escrevi, senhor, e não tenha medo desse lugar nem de qualquer um aqui. O doutor Allen é uma pessoa muito preparada e devo-lhe desculpas por aquilo que de mal falei a seu respeito. Gostaria de não ter de dispensá-lo, mas ele tinha coisas a fazer em outro lugar. Seu zelo é igual ao meu em todas essas matérias e suponho que quando eu temia o trabalho temia a ele também, meu maior colaborador."

Ward parou e o médico não sabia o que dizer ou pensar. Sentia-se quase um tolo diante desse calmo repúdio da carta, e contudo persistia para ele o fato de que embora o discurso atual fosse estranho, curioso e indubitavelmente louco, a carta também era trágica por sua naturalidade e afinidade ao Charles Ward que ele conhecera. Willett agora tentou conduzir a conversa sobre outros assuntos e lembrar ao jovem algum acontecimento passado que restabelecesse um clima familiar, mas por esse processo obteve apenas os resultados mais grotescos. O mesmo aconteceria com todos os psiquiatras mais tarde. Partes importantes da massa de imagens mentais de Charles Ward, principalmente aquelas que diziam respeito aos tempos modernos e à sua vida pessoal, haviam sido inexplicavelmente eliminadas, enquanto toda a paixão pela arqueologia acumulada na juventude brotava de um profundo subconsciente que tragava o contemporâneo e o individual. Os enormes conhecimentos que ele possuía sobre antiguidades eram anormais e blasfemos e ele tentava de todas as formas ocultá-los. Quando Willett mencionava algum tema predileto de seus estudos arqueológicos da adolescência, ele frequentemente fornecia, por mero acidente, informações que nenhum mortal normal poderia possuir e o médico arrepiava enquanto o jovem ia falando com desenvolta fluência.

Não era normal saber que a peruca do gordo xerife despencara enquanto ele se debruçava durante a apresentação da peça na Academia Histriônica do senhor Douglas em King Street, no dia 11 de fevereiro de 1762, uma quinta-feira; ou que os atores amputaram de um modo tão lamentável o texto da peça *O Amante Consciente,* de Steele, que as pessoas quase se alegraram quando o legislativo, dominado pelos batistas, fechou o teatro quinze dias mais tarde. Que a diligência de Boston de Thomas Sabin era "danada de desconfortável" era algo que velhas cartas poderiam ter perfeitamente mencionado; mas que arqueólogo normal poderia lembrar que o rangido da nova tabuleta do estabelecimento de Epene-tus Olney (a vistosa coroa colocada depois que ele começou a chamar sua taberna de Café da Coroa) fosse exatamente como as primeiras notas da nova peça de jazz que todas as rádios de Pawtuxet estavam tocando?

No entanto, Ward não se deixaria interrogar por muito tempo dessa maneira. Os assuntos modernos e pessoais ele os descartava sumariamente, enquanto com respeito a questões antigas mostrava logo o mais evidente enfado. O que ele pretendia claramente era apenas satisfazer seu visitante o bastante para que fosse embora sem a intenção de voltar. Com esta finalidade, ofereceu-se para mostrar a Willett toda a casa e imediatamente conduziu o médico por todos os aposentos, desde o porão até a mansarda. Willett olhava atentamente, mas notou que os livros visíveis eram muito poucos e triviais em relação aos amplos espaços vazios deixados nas prateleiras na casa de Ward, e que o medíocre, assim chamado, "laboratório" era a mais inconsistente fachada. Evidentemente, havia em outro lugar uma biblioteca e um laboratório, mas onde exatamente era impossível dizer. Essencialmente derrotado em sua busca de algo que não conseguia definir, Willett voltou à cidade antes do anoitecer e contou ao senhor Ward tudo que havia acontecido. Eles concordaram que o jovem deveria estar definitivamente fora do seu juízo, mas decidiram que naquele momento não deveria ser tomada nenhuma medida drástica. Acima de tudo, a senhora Ward deveria ser mantida no mais completo desconhecimento, na medida em que os estranhos bilhetes datilografados do filho o permitissem.

O senhor Ward agora estava determinado a se encontrar com o filho numa visita de surpresa. O doutor Willett levou-o em seu carro uma noite, guiando-o até as proximidades do bangalô, e esperou pacientemente sua volta. A sessão foi longa e o pai saiu num estado muito contristado e perplexo. Sua recepção foi muito parecida à de Willett, com a exceção de que Charles levara um tempo excessivamente longo para aparecer depois que o visitante forçara a entrada no saguão e afastara o português com uma ordem imperiosa; e no comportamento do filho, tão mudado, não havia nenhum sinal de afeto filial. A luz estava fraca, mas mesmo assim o jovem se queixou de que o ofuscava excessivamente. Ele não falara de modo algum em voz alta, afirmando que sua garganta estava em péssimas condições, mas em seu rouco sussurro havia algo tão vagamente perturbador que o senhor Ward não conseguiu afastá-lo da mente.

Agora, definitivamente aliados para fazer todo o possível para salvar a mente do jovem, o senhor Ward e o doutor Willett começaram a reunir todas as informações disponíveis. Os boatos que corriam em Pawtuxet foram a primeira coisa que estudaram, e foi relativamente simples coligi-los, pois ambos tinham amigos na região. O doutor Willett conseguiu levantar a maior parte dos comentários porque as pessoas conversavam com mais franqueza com ele do que com o pai do personagem central e, a partir de tudo que ouviu, chegou à conclusão de que a vida do jovem Ward se tornara de fato bastante estranha. Os comentários não dissociavam sua casa do vampirismo do verão passado, enquanto as idas e vindas noturnas dos caminhões contribuíam para as lúgubres especulações. Os comerciantes locais falavam das estranhas encomendas feitas pelo mulato mal-encarado e particularmente das quantidades imoderadas de carne e sangue fresco fornecidas pelos dois açougues da vizinhança mais próxima. Para uma casa de apenas três pessoas, as quantidades eram totalmente absurdas.

Depois havia a questão dos sons debaixo da terra. Os relatos sobre essas coisas eram mais difíceis de definir, mas todos os vagos indícios correspondiam em alguns pontos essenciais. Ouviam-se ruídos como de rituais e, às vezes, quando o bangalô estava escuro. Evidentemente, poderiam vir do porão; mas os boatos insistiam que havia criptas mais profundas e mais extensas. Lembrando as antigas lendas sobre as catacumbas de Joseph Curwen e partindo do pressuposto de que o atual bangalô havia sido escolhido por causa de sua localização sobre a antiga fazenda de Curwen, conforme este revelara em um outro documento encontrado atrás do quadro, Willett e o senhor Ward prestaram muita atenção a tais boatos e procuraram várias vezes, sem sucesso, a porta na margem do rio mencionada pelo antigo manuscrito. Quanto à opinião popular sobre os vários habitantes do bangalô, logo ficou claro que o português era detestado, o barbudo doutor Allen, escondido atrás dos seus óculos, temido, e o jovem pálido estudioso, profundamente antipatizado. Era óbvio que nas duas últimas semanas Ward mudara muito; abandonara as tentativas de se mostrar afável e falava apenas em sussurros ásperos mas estranhamente repelentes nas poucas ocasiões nas quais se aventurava a sair.

Estes foram os fragmentos e os pedaços reunidos aqui e ali, e o senhor Ward e o doutor Willett dedicaram-lhes prolongadas e graves conferências. Esforçavam-se para exercitar ao máximo a dedução, a indução e a imaginação construtiva e para correlacionar todos os fatos conhecidos sobre a vida recente de Charles, inclusive a carta desesperada que o médico agora mostrou ao pai, com as escassas provas documentais disponíveis referentes ao velho Joseph Curwen. Eles dariam tudo para poder olhar rapidamente os papéis que Charles havia encontrado, pois estava claro que a chave da loucura do jovem se encontrava naquilo que ele havia aprendido a respeito do antigo bruxo e de suas atividades. E contudo, no fim, não foi por iniciativa do senhor Ward ou do doutor Willett que se deu o próximo passo desse caso singular. O pai e o médico, repelidos e confusos por uma sombra demasiado informe e intangível para ser combatida, com certo embaraço haviam feito uma pausa enquanto os bilhetes datilografados do jovem Ward se tornavam cada vez mais raros. Então veio o primeiro dia do mês com os acertos financeiros usuais e os funcionários de certos bancos começaram a balançar sua cabeça e a telefonar um para o outro. Os que conheciam Charles Ward de vista foram até o bangalô para perguntar por que todos os seus cheques que chegavam ao banco na ocasião não passavam de uma desajeitada falsificação e se sentiram muito menos tranquilizados do que deveriam quando o jovem explicou com voz roufenha que sua mão há pouco tempo ficara tão afetada por um choque nervoso que escrever normalmente se tornara impossível. Disse que só conseguia formar caracteres escritos com grande dificuldade e podia comprová-lo pelo fato de ter sido obrigado a datilografar todas as suas últimas cartas, mesmo aquelas endereçadas ao pai e à mãe, os quais corroborariam sua afirmação.

O que fez os investigadores pararem confusos não foi apenas esta circunstância, pois não era algo incomum ou fundamentalmente suspeito, nem mesmo os boatos em Pawtuxet, alguns dos quais haviam chegado até eles. Foi o discurso confuso do jovem que os deixou perplexos, pois implicava uma perda praticamente total da memória no que dizia respeito a importantes assuntos monetários com os quais ele costumava lidar com extrema facilidade apenas um mês ou dois antes. Havia algum problema, pois, apesar da aparente coerência e racionalidade de seu discurso, não poderia existir uma razão normal para este maldisfarçado esquecimento sobre pontos vitais. Além disso, embora nenhuma dessas pessoas conhecesse bem Ward, não puderam deixar de observar a mudança de sua linguagem e modos. Haviam ouvido dizer que ele gostava de arqueologia, mas mesmo o arqueólogo mais obcecado não faz uso de uma fraseologia e de gestos obsoletos. De modo geral, essa combinação de rouquidão, mãos paralisadas, má memória, fala e comportamento alterados, indicava alguma perturbação ou doença de real gravidade, a qual, indubitavelmente, era responsável pelos boatos na maior parte estranhos. Depois de sair, os funcionários decidiram que a conversa com o pai de Ward se tornara imperativa.

Assim, no dia 6 de março de 1928, houve uma longa e grave reunião no escritório do senhor Ward, após a qual o pai, totalmente desorientado, convocou o doutor Willett com uma espécie de desamparada resignação. Willett examinou as assinaturas forçadas e desajeitadas nos cheques e comparou-as mentalmente à caligrafia daquela última carta desesperada. Com certeza a mudança fora radical e profunda, mas havia algo detestavelmente familiar na nova letra. Tinha tendências ininteligíveis e arcaicas, de um tipo bastante curioso, e parecia um traço totalmente diferente daquele que o jovem sempre usara. Era estranho – onde ele a havia visto antes? Era óbvio que Charles estava louco. Não havia dúvidas quanto a isso. E como parecia improvável que pudesse administrar seus bens ou continuar lidando com o mundo exterior por mais tempo, era preciso agir de pronto para que fosse vigiado e possivelmente tratado. Nesse momento é que foram chamados os psiquiatras, o doutor Peck e o doutor Providence, e o doutor Lyman, de Boston, aos quais o senhor Ward e o doutor Willett forneceram o relato mais exaustivo possível do caso. Eles conferenciaram longamente na biblioteca, agora em desuso, de seu jovem paciente, examinando os livros e papéis que haviam sido deixados a fim de obter alguma outra noção sobre sua estrutura mental habitual. Depois de examinar este material e estudar a carta enviada pelo jovem a Willett, todos eles concordaram que os estudos de Charles Ward haviam sido suficientes para deformar ou pelo menos perturbar qualquer intelecto comum, e expressaram o desejo de ver seus volumes e documentos mais íntimos; mas eles sabiam que isto só lhes seria possível após uma intervenção no bangalô. Willett então analisou novamente todo o caso com energia febril e foi nessa oportunidade que obteve as declarações dos trabalhadores, que haviam visto Charles encontrar os documentos de Curwen, e que ele estudou os incidentes descritos nos artigos dos jornais destruídos, procurando-os na redação do *Journal*.

Na quinta-feira, dia 8 de março, os doutores Willett, Peck, Lyman e Waite, acompanhados pelo senhor Ward, fizeram ao jovem uma solene visita, não ocultando seu propósito e interrogando com extrema minúcia aquele que agora era reconhecidamente seu paciente. Embora demorasse excessivamente para receber os visitantes e ainda rescendesse aos estranhos e insalubres odores do laboratório quando finalmente apareceu agitado, Charles revelou-se um paciente nada recalcitrante; e admitiu abertamente que sua memória e equilíbrio haviam ficado um pouco afetados com a constante aplicação a estudos abstrusos. Não ofereceu nenhuma resistência quando insistiram em transferi-lo para outro local e, em realidade, pareceu mostrar um elevado grau de inteligência além da memória prodigiosa. Seu comportamento teria feito com que seus entrevistadores se retirassem frustrados, não fosse a persistente tendência arcaizante de sua fala e a inquestionável substituição de ideias modernas por ideias antigas em sua consciência, que o marcavam como um indivíduo longe da normalidade. A respeito de seu trabalho não declarou ao grupo de médicos mais do que anteriormente dissera à família e ao doutor Willett, e definiu a carta desesperada do mês anterior como um simples problema nervoso e histeria. Insistiu que aquele sombrio bangalô não possuía nenhuma biblioteca ou laboratório além dos que eram visíveis e tornou-se abstruso ao explicar a razão pela qual os odores que nesse momento saturavam suas roupas não eram percebidos na casa. Atribuiu os boatos da vizinhança a invencionices baratas, fruto de curiosidade frustrada. A respeito do paradeiro do doutor Allen, disse que não poderia falar de modo definitivo, mas assegurou aos seus visitantes que o sujeito barbudo de óculos voltaria se fosse necessário. Ao despedir e pagar o impassível português que resistira a todas as indagações feitas pelos visitantes e ao fechar o bangalô que parecia conter segredos tão profundos, Ward não mostrou nenhum sinal de nervosismo, com exceção de uma tendência quase imperceptível a se deter como para ouvir algo muito tênue. Parecia animado por uma calma resignação filosófica, como se sua internação fosse um incidente transitório que provocaria menos problemas se fosse facilitado e resolvido de uma vez por todas. Era evidente que confiava na agudeza obviamente intocada de sua inteligência absoluta para superar todos os embaraços que lhe haviam sido criados pela memória deformada, a perda da voz e da capacidade de escrever por seu misterioso e excêntrico comportamento. Concordaram que sua mãe não seria informada da mudança e o pai mandaria as cartas datilografadas em seu nome. Ward foi levado ao hospital do doutor Waite, num local calmo e pitoresco, em Conanicut Island, na enseada, e foi submetido aos mais minuciosos exames e interrogatórios por todos os médicos ligados ao caso. Então foram notadas as singularidades físicas, o retardo do metabolismo, a alteração da pele e as desproporcionais reações neurais. O doutor Willett era o mais perturbado dos vários examinadores, pois havia cuidado de Ward durante toda a sua vida e podia verificar com terrível intensidade a gravidade de sua desorganização física. Até a marca familiar em forma de azeitona sobre o quadril havia desaparecido, enquanto em seu peito havia uma grande massa negra carnosa ou uma cicatriz que jamais havia existido naquele lugar e que levou o doutor Willett a pensar se o jovem teria em algum momento se submetido a alguns daqueles rituais para receber a "marca das bruxas", imposta, segundo se acreditava, em certas reuniões noturnas em lugares selvagens e ermos. O médico não conseguia afastar de sua mente certo registro transcrito de um julgamento de bruxas de Salem, que Charles Ward lhe mostrara nos velhos tempos em que não se cercava de segredos, e que dizia: "O senhor G. B. naquela noite pôs a Marca do Diabo em Bridget S., Jonathan A., Simon O., Deliverance W., Joseph C., Susan P., Mehitable C. e Deborah B." O rosto de Ward também o preocupava terrivelmente, até que a certa altura descobriu de repente por que ficara tão horrorizado. Sobre o olho direito do jovem havia algo que jamais havia notado antes – uma pequena cicatriz ou cova exatamente como aquela do retrato pulverizado do velho Joseph Curwen, talvez revelando alguma horrenda inoculação ritual à qual ambos haviam se submetido em certo estágio de suas carreiras ocultas.

Enquanto o próprio Ward intrigava todos os médicos do hospital, toda a correspondência endereçada a ele ou ao doutor Allen, que o senhor Ward ordenara fosse entregue na residência da família, estava sendo estritamente vigiada. Willett previra que muito pouco seria encontrado, pois toda comunicação de natureza vital provavelmente seria realizada por mensageiro; mas, no final de março, chegou de fato uma carta de Praga para o doutor Allen que deixou o médico e o pai muito preocupados. Estava escrita numa letra muito arcaica e indecifrável e, embora claramente não fosse o resultado do esforço de um estrangeiro, mostrava uma diferença tão singular em relação ao inglês moderno quanto a fala do próprio jovem Ward. Dizia:

> Kleinstrasse, 11
> Altstadt, Praga,
> *11 de fevereiro de 1928.*

*Irmão em Almousin-Metraton!*_____

Recebi hoje seu relato do que saiu dos sais que eu lhe enviei. Estava errado e significa claramente que as pedras tumulares haviam sido mudadas quando Barnabus me mandou o espécime. Isto ocorre com frequência, como deve ter percebido pela coisa que recebeu do cemitério de King' Chapel em 1769 e por aquela que recebeu do Cemitério Velho em 1690, que poderia acabar com ele. Eu obtive coisa semelhante no Egito, há 75 anos, de onde apareceu aquela cicatriz que o menino viu em mim em 1924. Como lhe disse há muito tempo, não evoque aquilo que não puder mandar de volta quer pelos sais mortos quer pelas esferas do além. Tenha sempre prontas as palavras para mandar de volta todas as vezes e não espere para ter certeza quando tiver alguma dúvida de *Quem* você tem. As lápides estão todas mudadas agora em nove túmulos de cada dez. Nunca terá certeza enquanto não perguntar. Hoje recebi notícias de H., que teve problemas com os soldados. É provável que ele lamente o fato de a Transilvânia ter passado da Hungria para a Rumênia e mudaria sua sede se o castelo não estivesse tão cheio daquilo que nós sabemos. Mas sem dúvida ele lhe escreveu a este respeito. Na minha segunda remessa, haverá algo de um túmulo da colina do leste que muito lhe agradará. Enquanto isso, não esqueça que desejo B. F. se você puder chamá-lo para mim. Você conhece G. em Filadélfia melhor do que eu. Chame-o você em primeiro lugar se quiser, mas não o use demais; ele será difícil, terei de falar com ele no fim.

Yogg-Sothoth Neblod Zin
Simon O.

Para o senhor J. C.
em Providence.

O senhor Ward e o doutor Willett pararam num caos completo diante dessa aparente amostra de absoluta insanidade. Só aos poucos conseguiram assimilar o que ela parecia implicar. Então o ausente doutor Allen, e não Charles Ward, era o espírito dominante em Pawtuxet? Isto explicaria a violenta referência e a desvairada determinação da última carta desesperada do jovem. E o que dizer do fato de a carta ser remetida ao estrangeiro de óculos e barba como "Senhor J. C."? Não havia como escapar à conclusão, mas existem limites a possíveis monstruosidades. Quem era "Simon O."? O velho que Ward visitara em Praga há quatro anos? Talvez, mas séculos antes havia existido outro Simon O. – Simon Orne, também Jedediah, de Salem, que desaparecera em 1771, *e cuja caligrafia peculiar o doutor Willett agora reconhecia inconfundivelmente como a das cópias fotostáticas das fórmulas de Orne que Charles certa vez lhe mostrara.* Que horrores e mistérios, que contradições e contravenções da natureza voltavam após um século e meio para atormentar a velha Providence com seus inúmeros campanários e cúpulas?

O pai e o velho médico, praticamente sem saber o que fazer ou pensar, foram visitar Charles no hospital e perguntaram-lhe da maneira mais delicada possível a respeito do doutor Allen, da visita a Praga e daquilo que ele havia aprendido de Simon ou Jedediah Orne, de Salem. Diante de todas estas perguntas o jovem se mostrou polidamente reservado, limitando-se a responder de maneira esganiçada, com seus sussurros ásperos, que descobrira que o doutor Allen tinha um notável relacionamento espiritual com certos espíritos do passado e que o correspondente do barbudo em Praga deveria ter iguais poderes. Quando saíram, o senhor Ward e o doutor Willett deram-se conta de que, para seu desapontamento, eles é que haviam sido investigados e que, sem fornecer nenhuma informação vital, o jovem internado havia astutamente extraído deles tudo o que a carta de Praga continha.

Os doutores Peck, Waite e Lyman não estavam inclinados a atribuir grande importância à estranha correspondência do companheiro do jovem Ward, pois conheciam a tendência de indivíduos excêntricos e monomaníacos a constituírem grupos entre si, e acreditavam que Charles ou Allen haviam simplesmente descoberto um colega expatriado – quem sabe alguém que havia visto a caligrafia de Orne e a copiara na tentativa de posar como reencarnação do finado personagem. O próprio Allen era talvez um caso semelhante e poderia ter persuadido o jovem a aceitá-lo como um avatar de Curwen há muito tempo falecido. Essas coisas já eram conhecidas e, com o mesmo argumento, os obstinados doutores liquidaram a crescente inquietação de Willett no que dizia respeito à atual caligrafia de Charles Ward, contida nas amostras obtidas por vários artifícios. Willett acreditava ter identificado enfim a razão de sua estranha familiaridade, pois ela se assemelhava vagamente à caligrafia do falecido velho Joseph Curwen; mas os outros médicos consideraram isto um fenômeno de imitação previsível neste tipo de loucura e recusaram-se a atribuir-lhe alguma importância, a favor ou não. Ao constatar essa atitude prosaica em seus colegas, Willett aconselhou o senhor Ward a guardar a carta que chegara para o doutor Allen no dia 2 de abril de Rakus, na Transilvânia, numa letra tão intensa e fundamentalmente idêntica à do código de Hutchinson que tanto o pai quanto o médico se detiveram apavorados antes de violar o selo. A carta dizia:

> Castelo Ferenczy
> 7 de março de 1928,

Caro C.–

Apareceu um esquadrão de vinte milicianos por causa dos boatos do povo. Preciso cavar mais fundo e manter menos gado. Esses rumenos incomodam horrivelmente, são intrometidos e detalhistas, enquanto se pode comprar um magiar com bebida e comida. No mês passado M. me mandou o sarcófago das cinco esfinges da Acrópole onde aquele que eu evoquei me disse que estaria, e tive *três conversas com aquilo que estava inumado em seu interior.* Irá diretamente para S. O. em Praga e de lá para o senhor. É obstinado, mas o senhor sabe como agir. O senhor mostrou sabedoria em ter menos do que antes, pois não havia necessidade de manter os guardas em forma e comendo tanto, e muito poderia ser encontrado em caso de problemas, como os senhores bem sabem. Agora o senhor pode se mudar e trabalhar em outro lugar sem o inconveniente de matar, se necessário, embora espere que nada o obrigue tão cedo a uma medida tão incômoda. Folgo que não esteja traficando muito com os de fora, pois nisso sempre houve um perigo mortal e o senhor sabe o que ele fez quando pediu proteção de alguém que não estava disposto a dá-la. O senhor me supera em conseguir as fórmulas para que um outro o possa dizê-las com sucesso, mas Borellus imaginou que seria assim, bastando ter as palavras certas. O rapaz as usa frequentemente? Sinto que ele esteja se tornando excessivamente melindroso, como eu temia quando esteve aqui há cerca de quinze meses, mas percebo que o senhor sabe como lidar com ele. O senhor não pode fazê-lo voltar com as fórmulas, pois aquilo só funciona com aqueles que as fórmulas chamam dos sais, mas o senhor ainda tem mãos fortes, faca, pistola e túmulos não são difíceis de cavar, nem os ácidos difíceis de queimar. O. diz que o senhor lhe prometeu B. F. Eu preciso tê-lo depois. B. irá para o senhor logo e poderá lhe dar o que o senhor deseja daquela coisa negra debaixo de Memphis. Tenha cuidado com aquilo que evocar e cuidado com o menino. Daqui a um ano será o momento de convocar as legiões das profundas e então não haverá limites ao nosso poder. Confie no que eu digo, pois o senhor sabe que O. e eu tivemos esses 150 anos mais que o senhor para estudar tais assuntos.

Nephreu – Ka nai Hadoth
Edw: H.

Para o Cavalheiro J. Curwen,
Providence

Mas embora Willett e o senhor Ward não mostrassem essa carta aos psiquiatras, não deixaram de, em seguida, agir por conta própria. Não havia douto sofisma capaz de contestar o fato de que o estranho doutor Allen, com seus óculos e barba, de quem a desesperada carta de Charles falara como de uma ameaça tão monstruosa, mantinha uma íntima e sinistra correspondência com duas inexplicáveis criaturas que Ward havia visitado em suas viagens e que claramente afirmavam ser sobreviventes ou avatares dos velhos colegas de Curwen, em Salem. Que ele se considerava a reencarnação de Joseph Curwen e que cultivava – ou pelo menos havia sido aconselhado a cultivar – mortais desígnios contra um "menino" que não poderia ser senão Charles Ward. O Horror organizado estava agindo e, quem quer que o tivesse começado, o ausente Allen a esta altura estava na origem de tudo. Portanto, agradecendo aos céus por Charles agora estar a salvo no hospital, o senhor Ward não perdeu tempo e contratou imediatamente detetives para que descobrissem tudo a respeito do misterioso doutor barbudo, se informassem de onde ele vinha e o que Pawtuxet sabia sobre ele, e se possível descobrissem seu atual paradeiro. Entregou-lhes uma das chaves do bangalô que eram de Charles e recomendou-lhes que explorassem o quarto vazio de Allen, identificado quando haviam sido empacotados os pertences do paciente, e colhessem todos os indícios possíveis dos objetos pessoais que ele porventura tivesse deixado por lá. O senhor Ward conversou com os detetives na antiga biblioteca do filho e eles se sentiram bastante aliviados quando por fim saíram do aposento sobre o qual parecia pairar um vago fluido diabólico. Talvez tivessem ouvido falar do abominável velho bruxo cujo quadro outrora espiava de cima do painel sobre a lareira, talvez fosse algo diferente e irrelevante; de qualquer maneira, todos eles sentiram um intangível miasma que emanava daquele vestígio entalhado de uma morada mais antiga e que chegava quase à intensidade de uma emanação material.

Capítulo cinco
Pesadelo e cataclismo

1

Logo em seguida deu-se a horrenda experiência que deixou uma marca indelével de terror na alma de Marinus Bicknell Willett e envelheceu de uma década a aparência de um homem cuja juventude já então andava muito distante. O doutor Willett conferenciou longamente com o senhor Ward e chegou a um consenso com ele em vários pontos que, na opinião de ambos, os psiquiatras achariam ridículos. Eles se davam conta de que existia no mundo um terrível movimento cuja ligação direta com uma necromancia mais antiga ainda do que as bruxarias de Salem era algo acima de qualquer dúvida. Que pelo menos dois homens vivos – e outro no qual não ousavam pensar – detinham o domínio absoluto de mentes ou personalidades que haviam existido já em 1690 ou mesmo antes, como estava quase inquestionavelmente comprovado, mesmo contra todas as leis naturais conhecidas. O que estas terríveis criaturas – bem como Charles Ward – estavam fazendo ou tentando fazer parecia bastante claro pelas suas cartas e por todo vislumbre de luz antigo e novo que filtrara sobre o caso. Eles estavam saqueando túmulos de todos os tempos, inclusive os dos maiores e mais sábios homens do mundo, na esperança de recuperar das vetustas cinzas algum vestígio da ciência e do saber que outrora os animara e informara.

Um tráfico hediondo desenrolava-se entre estes vampiros de pesadelo, e ossos ilustres eram barganhados com a atitude calculista e calma de meninos de escola trocando livros entre si; por aquilo que era possível arrancar dessa poeira secular anteviam-se um poder e uma sabedoria superiores a tudo o que o cosmos jamais vira concentrado num só homem ou grupo. Eles haviam encontrado meios blasfemos de manter vivos seus cérebros, no mesmo corpo ou em corpos diferentes, e, evidentemente, haviam descoberto uma maneira de extrair a consciência dos mortos que eles conseguiam obter. Aparentemente, existia um fundo de verdade no velho e quimérico Borellus, quando escreveu a respeito do modo de preparar, mesmo para os restos mais antigos, certos "sais essenciais" dos quais era possível evocar a sombra de um ser há muito falecido. Havia uma fórmula para evocar essa sombra e outra para fazê-la voltar, e agora havia sido tão aperfeiçoada que podia ser ensinada com sucesso. Era preciso ter muito cuidado com essas evocações, pois as lápides das tumbas antigas nem sempre são precisas.

Willett e o senhor Ward estremeciam ao passar de conclusão em conclusão. As coisas – presenças ou vozes – podiam ser evocadas de lugares desconhecidos bem como do túmulo e nesse processo também era preciso ter muito cuidado. Joseph Curwen indubitavelmente evocara muitas coisas proibidas, e quanto a Charles – o que se podia pensar dele? Que forças "fora das esferas" haviam chegado a ele dos tempos de Joseph Curwen fazendo sua mente voltar-se para coisas esquecidas? Ele fora levado a descobrir certas instruções e as usara. Conversara com o homem do horror em Praga e vivera muito tempo com a criatura nas montanhas da Transilvânia. Por fim, encontrara o túmulo de Joseph Curwen. O artigo do jornal e aquilo que sua mãe ouvira aquela noite eram demasiado importantes para serem desprezados. Então ele chamara algo e este algo viera. Aquela voz possante nas alturas, na Sexta-feira Santa, e aqueles tons *diferentes* no laboratório da mansarda trancada. A que se assemelhavam com sua profundidade e cavernosidade? Não haveria neles um horrível prenúncio do temido estrangeiro, o doutor Allen, com seu tom baixo espectral? Sim, era *isso* que o senhor Ward havia percebido com um vago horror em sua única conversa com o homem pelo telefone – se é que se tratava de um homem.

Que consciência ou voz infernal, que mórbida sombra ou presença respondera aos secretos ritos de Charles Ward atrás daquela porta trancada? Aquelas vozes ouvidas numa discussão – "é preciso que fique vermelho três meses" – Bom Deus! Não. Aquilo acontecera pouco antes de começar a onda de vampirismo? O saque do antigo túmulo de Ezra Weeden e mais tarde os gritos em Pawtuxet – que mente planejara a vingança e redescobrira a sede das mais antigas blasfêmias, por todos evitada? E depois o bangalô e o estrangeiro barbudo, os boatos e o terror. A loucura final de Charles não podia ser explicada nem pelo pai nem pelo médico, mas eles tinham certeza de que a mente de Joseph Curwen voltara novamente à terra e estava seguindo suas antigas tendências mórbidas. A possessão demoníaca era realmente uma possibilidade? Allen tinha algo a ver com isso e os detetives tinham de descobrir mais a respeito de um indivíduo cuja existência ameaçava a vida do jovem. Enquanto isso, como a existência de alguma enorme cripta debaixo do bangalô parecia praticamente indiscutível, era preciso fazer alguma tentativa de encontrá-la. Willett e o senhor Ward, conscientes da atitude cética dos psiquiatras, resolveram durante sua conferência final empreender uma exploração conjunta de uma minúcia sem igual e combinaram encontrar-se no bangalô na manhã seguinte com valises, instrumentos e material adequados à pesquisa arquitetônica e à exploração subterrânea.

A manhã do dia 6 de abril surgiu clara e ambos os exploradores estavam no bangalô às dez horas. O senhor Ward tinha a chave, entraram e realizaram uma busca rápida. Pela desordem do quarto do doutor Allen era óbvio que os detetives já haviam estado lá, e os novos exploradores esperaram que tivessem encontrado algum indício valioso. Evidentemente, o negócio principal ficava no porão; portanto, desceram sem muita demora, percorrendo de novo o trajeto que cada um deles havia feito anteriormente na presença do jovem e maníaco proprietário. Por algum tempo sentiram-se frustrados, cada polegada do chão de terra e das paredes de pedra tinha um aspecto tão sólido e inócuo que era impossível imaginar uma abertura escancarada. Willett refletiu que como o porão original fora escavado sem que se soubesse da existência de uma catacumba debaixo dele, o início da passagem seria justamente a escavação recente do jovem Ward e seus sócios, à procura do antigo subterrâneo cuja existência lhes poderia ter sido revelada por meios não normais.

O médico tentou colocar-se no lugar de Charles para entender como um explorador começaria, mas não conseguiu obter muita inspiração com este método. Então, decidiu optar por aquele da eliminação e percorreu cuidadosamente toda a superfície subterrânea, vertical e horizontal, tentando estudar cada polegada separadamente. Logo restringiu substancialmente sua área de interesse e por fim só restava a pequena plataforma diante da tina de lavar roupa, que ele já havia experimentado. Tentando agora de todos os modos possíveis, e aplicando força redobrada, finalmente descobriu que a tampa de fato girava e deslizava horizontalmente sobre um eixo no canto. Debaixo dela havia uma superfície lisa de concreto com uma tampa de ferro, para a qual o senhor Ward se dirigiu imediatamente, excitado em seu zelo. A tampa não era difícil de levantar e o pai a havia quase removido quando Willett notou que seu aspecto ficara estranho. Ele vacilava e agitava a cabeça atordoado e, na lufada de ar pestilento que saiu do poço negro lá em baixo, o médico logo descobriu a causa.

Num instante, o doutor Willett deitou no chão o companheiro que desmaiara e o ajudou a voltar a si com água fria. O senhor Ward reagiu fracamente, mas percebia-se que a lufada de ar mefítico da cripta de alguma forma o deixara num profundo mal-estar. Ansioso por não correr riscos,

Willett saiu apressadamente em busca de um táxi em Broad Street e logo despachou o doente para casa, apesar de seus fracos protestos; depois, pegou uma lanterna a pilha, cobriu o nariz com uma bandagem de gaze esterilizada e desceu mais uma vez para espiar as profundezas recém-descobertas. O ar empestado diminuíra ligeiramente e Willett pôde vasculhar com sua lanterna o abismo infernal. Observou que havia uma queda exatamente cilíndrica de cerca de três metros e meio, com paredes de concreto e uma escada de ferro; depois disso, o buraco parecia dar num lance de antigos degraus de pedra que, originalmente, deviam emergir um pouco ao sul do edifício atual.

Willett admite francamente que por um instante a lembrança das velhas lendas sobre Curwen o impediu de descer sozinho na voragem malcheirosa. Não podia deixar de pensar naquilo que Luke Fenner contara a respeito da última noite monstruosa. Então, o dever predominou e ele se decidiu, carregando uma grande valise para levar algum papel que se revelasse de suprema importância. Lentamente, como convinha a uma pessoa de sua idade, desceu a escada e alcançou os degraus limosos embaixo. Era uma construção antiga, de tijolos, conforme a lanterna desvendava, e, sobre as paredes gotejantes, viu o musgo doentio dos séculos. Os degraus desciam, desciam, não em espiral, mas em três abruptas curvas, e eram tão estreitos que dois homens passariam com dificuldade. Contara cerca de trinta quando ouviu um som muito fraco e depois disso não teve mais disposição para contar.

Era um som perverso; o som daqueles insidiosos e graves ultrajes da natureza que não deveriam existir. Chamar aquilo um gemido surdo, um queixume prolongado fatal ou um uivo desesperado de uma angústia coral e uma carne aflita sem cérebro não definiria sua repugnância essencial e seu tom aterrorizante. Seria isso que Ward parecia ouvir naquele dia em que foi internado? Era a coisa mais chocante que Willett jamais ouvira e continuava de um ponto indeterminado enquanto o médico chegava ao fim dos degraus e movia a luz da lanterna à sua volta sobre as elevadas paredes do corredor encimadas por abóbadas ciclópicas e recortadas por inúmeros arcos negros. O saguão no qual ele se encontrava talvez tivesse mais de quatro metros de altura no centro da abóbada e mais de três metros de largura. Seu assoalho era formado de largas lajes entrecortadas e suas paredes e teto eram de tijolos lisos. Não poderia imaginar seu comprimento, pois estendia-se adiante indefinidamente na escuridão. Alguns dos arcos tinham portas do antigo tipo colonial de seis painéis, enquanto outros não.

Vencendo o horror provocado pelo cheiro e pelos uivos, Willett começou a explorar esses arcos um por um; encontrou atrás deles cômodos com tetos de pedra com nervuras, cada um de tamanho médio e aparentemente reservados para usos bizarros; a maioria deles tinha lareira, sendo que a parte superior das chaminés poderia permitir um interessante estudo de engenharia. Jamais ele vira, ou viu depois disso, tais instrumentos ou sugestões de instrumentos que apareciam aqui por todos os lados entre o pó e as teias de aranha de um século e meio, em muitos casos evidentemente estilhaçados, quem sabe pelos antigos invasores. Muitos dos cômodos pareciam não ter sido visitados em tempos recentes e deviam representar as primeiras e mais ultrapassadas fases das experiências de Joseph Curwen. Finalmente, apareceu um quarto obviamente moderno, ou pelo menos de ocupação recente. Havia fogareiros, prateleiras e mesas, cadeiras e gabinetes, e uma escrivaninha com enormes pilhas de papéis de variados graus de antiguidade e contemporâneos. Castiçais e lampiões espalhavam-se por vários lugares e, encontrando à mão uma caixa de fósforos, Willett acendeu todos os que estavam prontos para o uso.

Na luminosidade agora mais plena via-se que esse apartamento não era senão o último estúdio ou biblioteca de Charles Ward. O médico havia visto muitos daqueles livros antes e boa parte da mobília viera claramente da mansão de Prospect Street. Aqui e ali havia uma peça bem conhecida para Willett e a sensação de familiaridade se tornou tão grande que quase esqueceu o cheiro nauseabundo e os uivos, ambos mais fracos aqui do que ao pé dos degraus. Seu primeiro dever, como havia longamente planejado, era descobrir e recolher todos os papéis que fossem considerados de importância vital, principalmente aqueles monstruosos documentos encontrados por Charles há tanto tempo, atrás do quadro em Olney Court. Enquanto procurava deu-se conta de que espantosa tarefa seria decifrar todo o mistério; pois cada arquivo estava repleto de papéis em curiosas caligrafias e com desenhos curiosos, de modo que meses ou talvez mesmo anos seriam necessários para uma decifração e compilação completa. Em certo momento, descobriu grandes pacotes de cartas com selos de Praga e Rakus numa caligrafia claramente reconhecível como de Orne e Hutchinson; tudo isso ele carregou consigo junto com as coisas a serem levadas na valise.

Por fim, num gabinete de mogno trancado a chave, que outrora adornava a casa de Ward, Willett descobriu o lote de velhos papéis de Curwen, reconhecendo-os graças ao olhar relutante que Charles lhe permitira tantos anos antes. O jovem evidentemente os havia conservado juntos da mesma maneira como estavam quando os descobrira, pois todos os títulos lembrados pelos operários estavam lá, com exceção dos papéis endereçados a Orne e Hutchinson e o código com sua explicação. Willett colocou todo o lote em sua mala e continuou a examinar os arquivos. Como a doença imediata do jovem Ward era a principal questão em jogo, a pesquisa mais cuidadosa foi realizada entre o material mais obviamente recente, e nessa abundância de manuscritos contemporâneos observou uma curiosidade desconcertante. Essa singularidade era a limitada quantidade de coisas escritas na caligrafia normal de Charles, entre as quais indubitavelmente não havia nada mais recente do que dois meses antes. Por outro lado, havia literalmente resmas e resmas de símbolos e fórmulas, apontamentos históricos e comentários filosóficos, numa caligrafia intrincada absolutamente idêntica à escritura antiga de Joseph Curwen, embora inegavelmente com datas modernas. Era evidente que uma parte do programa dos últimos dias havia sido uma diligente imitação da caligrafia do velho bruxo, em que Charles parecia ter conseguido uma perfeição maravilhosa. De uma terceira caligrafia, que deveria pertencer a Allen, não havia traços. Se de fato ele havia se tornado o chefe, devia ter obrigado o jovem Ward a servir-lhe de amanuense.

Nesse novo material, uma fórmula mística, ou melhor, duas fórmulas apareciam com tanta frequência que Willett as decorou antes de chegar à metade de sua investigação. Consistia em duas colunas paralelas, a da esquerda encimada pelo símbolo arcaico chamado "Cabeça do Dragão", usado em almanaques para indicar o nó ascendente, e a da direita encimada por um sinal correspondente, o da "Cauda do Dragão", ou nó descendente. O aspecto da fórmula era algo semelhante ao que está reproduzido abaixo e quase inconscientemente o doutor percebeu que a segunda metade não era senão a primeira escrita com as sílabas invertidas, com exceção dos últimos monossílabos e do estranho nome *Yog-Sothoth,* que ele aprendera a reconhecer em várias ortografias por outras coisas que havia visto relacionadas a esse

☊	☋
"Y' AI'NG'NGAH	OGTHROD AI'F
YOG-SOTHOTH	GEB'L – EE'H
H'EE – L'GEB	*YOG-SOTHOTH*
F'AI'THRODOG	'NGAH'NG AI'Y
UAAAH!	*ZHRO*

horrível assunto. As fórmulas eram as seguintes – *exatamente* como Willett pôde testemunhar abundantemente – e a primeira despertou uma curiosa sensação de lembrança desconfortável e latente em sua mente, que reconheceu mais tarde ao rever os eventos daquela horrível Sexta-Feira Santa do ano anterior. Eram tão obsedantes as fórmulas e ele as encontrou tantas vezes que, antes de se dar conta, o médico as estava repetindo em voz baixa. A certa altura, achando que tinha apanhado todos os papéis de interesse que poderia digerir no momento, resolveu não examinar mais nada até que pudesse trazer os céticos psiquiatras *en masse* para uma ampla e mais sistemática incursão. Ainda precisava encontrar o laboratório oculto, assim, deixando a valise na sala iluminada, voltou a penetrar no negro corredor fétido cujas abóbadas ressoavam incessantemente com aquele gemido surdo e horrendo.

Os poucos cômodos seguintes em que entrou estavam todos abandonados ou cheios apenas de caixas semidestruídas e caixões de chumbo de aspecto sinistro, mas que o impressionaram profundamente com a magnitude das operações originais de Joseph Curwen. Pensou nos escravos e marujos desaparecidos, nos túmulos violados em todos os cantos do mundo e naquilo que o grupo da invasão final provavelmente viu; e então decidiu que era melhor não pensar mais. A certa altura, uma grande escadaria de pedra subia à sua direita e deduziu que deveria conduzir a um dos edifícios de Curwen – talvez o famoso edifício de pedra com as altas janelas semelhantes a fendas – se os degraus que ele subira iniciassem na casa da fazenda de teto muito inclinado. De repente as paredes pareceram desaparecer de vista mais à frente e o fedor e os gemidos se tornaram mais fortes. Willett notou que chegara a um amplo espaço aberto, tão grande que a luz de sua lanterna não alcançava o outro lado, e à medida que avançava descobria pilares aqui e ali sustentando os arcos do teto.

Depois de algum tempo, chegou a um círculo de pilares agrupados como os monolitos de Stonehenge e um imenso altar esculpido sobre uma base de três degraus no centro; as esculturas daquele altar eram tão curiosas que ele se aproximou para examiná-las com a lanterna, mas quando viu o que representavam recuou estremecendo e não parou para investigar as marcas escuras que borravam a superfície superior e haviam se espalhado pelos lados em filetes aqui e ali. Em vez disso, chegou até a parede distante e a percorreu enquanto ela se abria num círculo gigantesco perfurado por negras portas esparsas que davam numa miríade de celas pouco profundas, com grades de ferro e argolas para pulsos e tornozelos presas a correntes fixadas à pedra da parede de tijolos do fundo. Essas celas estavam vazias, mas o horrível cheiro e os gemidos lúgubres persistiam, agora mais insistentes do que nunca, e, ao que parecia, variavam às vezes com uma espécie de baques e escorregões.

2

A atenção de Willett já não conseguia se desviar do cheiro assustador e do ruído horrível. Ambos eram mais nítidos e mais horrendos no grande saguão de pilares do que em qualquer outro lugar e davam a vaga impressão de virem de baixo, mais abaixo ainda do que esse profundo e negro mundo de mistérios subterrâneos. Antes de tentar procurar em algumas das escuras arcadas os degraus que o levariam ainda mais para baixo, o médico dirigiu o jato de luz sobre o chão de pedras perfuradas. Era pavimentado de modo muito desconexo e a intervalos irregulares notava-se uma laje curiosamente perfurada com pequenos orifícios dispostos ao acaso; num lugar havia uma escada de madeira muito comprida jogada no chão. Curiosamente, a esta escada parecia aderir uma boa parte do cheiro assustador que impregnava tudo. Enquanto Willett se movia lentamente pelo local, de repente se deu conta de que tanto o ruído quanto o odor pareciam mais fortes diretamente em cima das lajes com as curiosas perfurações, como toscos alçapões levando a alguma região de horror ainda mais profunda. Ajoelhando-se ao lado de uma delas, tentou levantá-la com as mãos e verificou que conseguia fazê-la mover com extrema dificuldade. Com isso, o gemido lá em baixo ficou mais forte e com uma agitação enorme o médico continuou a erguer a pesada pedra. Um fedor indizível subia agora das profundezas e a cabeça de Willett começou a rodar vertiginosamente enquanto apoiava a laje para trás e iluminava com a lanterna o negro espaço quadrado que acabava de escancarar.

Se esperava um lance de escada conduzindo a algum imenso abismo de abominação total, Willett estava destinado a se desapontar, pois entre o fedor e os gemidos entrecortados enxergou apenas o topo revestido de tijolos de um poço cilíndrico de aproximadamente um metro e meio de diâmetro, sem qualquer escada ou outros meios para a descida. Enquanto a luz iluminava lá em baixo, os gemidos se tornaram de repente uma série de uivos horríveis junto com os quais vinha de novo aquele ruído de movimentos desordenados e inúteis e surdos baques e escorregões. O explorador tremeu, recusando-se inclusive a imaginar que coisa horrorosa poderia aguardar no abismo; mas logo encontrou a coragem de espiar pela beirada toscamente recortada, deitado no chão e segurando a lanterna com o braço esticado para ver o que poderia existir lá embaixo. Por um segundo, não conseguiu distinguir nada, com exceção das paredes verdes e escorregadias de limo que mergulhavam sem fim num miasma quase material de negridão, fedor e desesperado frenesi; então viu alguma coisa escura pulando de modo desajeitado e frenético, para cima e para baixo, no fundo da estreita abertura que ficava talvez a sete ou oito metros abaixo do chão de pedra sobre o qual ele estava deitado. A lanterna tremeu em sua mão, mas ele olhou de novo para ver que espécie de ser vivente estaria murado na escuridão daquele poço construído pelo homem e havia sido deixado morrer de inanição pelo jovem Ward por um mês inteiro desde que os médicos o haviam levado, evidentemente apenas um de um grande número de outros trancados em poços semelhantes cujas tampas de pedra perfurada eram tão frequentes no chão da grande caverna abobadada. O que quer que fossem essas coisas, não podiam ficar deitadas em seus cubículos apertados, mas apenas gemer e esperar, pulando fracamente por todas aquelas horríveis semanas desde que seu dono as abandonara e negligenciara.

Mas Marinus Bicknell Willett arrependeu-se de olhar de novo, pois, embora fosse cirurgião e veterano da sala de dissecação, não foi mais o mesmo a partir daquele momento. É difícil explicar como a simples visão de um objeto concreto de dimensões mensuráveis poderia de tal modo abalar e mudar um homem; podemos apenas dizer que certas figuras e entidades possuem um poder de simbolismo e sugestão que agem de maneira assustadora sobre a visão de um pensador sensível e sussurram terríveis sugestões de obscuras relações cósmicas e realidades indescritíveis por trás das protetoras ilusões da visão comum. Naquela segunda olhada, Willett viu essa criatura ou entidade e nos instantes seguintes, sem sombra de dúvida, enlouquecera como qualquer paciente da clínica privada do doutor Waite. Deixou cair a lanterna da mão, da qual sumira toda força muscular ou coordenação nervosa, tampouco se preocupou com o barulho de dentes trincando algo, indicando o destino daquela no fundo do poço. Ele gritou, gritou e gritou ainda numa voz cujo falsete provocado pelo pânico nenhum amigo seu jamais reconheceria, e, não conseguindo erguer-se sobre os pés, arrastou-se e rolou desesperadamente para longe sobre o chão úmido onde dezenas de poços infernais deixavam escapar gemidos e uivos extenuados em resposta aos seus gritos insanos.

Esfolou as mãos sobre as pedras desconexas e ásperas e várias vezes machucou a cabeça contra os numerosos pilares, mas mesmo assim continuou. Então, finalmente, aos poucos voltou a si em meio à escuridão total e ao fedor, e tapou os ouvidos para não ouvir os gemidos surdos em que se transformara a explosão de uivos. Estava banhado em suor e, sem ter como fazer luz, debilitado e esgotado naquela negritude e naqueles horrores abissais, esmagado por uma lembrança que jamais poderia apagar. Debaixo dele, dezenas daquelas coisas ainda viviam e a tampa de um dos poços estava levantada. Sabia que o que ele vira jamais conseguiria subir pelas paredes escorregadias, no entanto, estremecia à ideia de que pudesse existir algum ponto de apoio oculto.

Não conseguia compreender o que era aquele ser. Parecia-se com algumas das coisas esculpidas no altar infernal, mas ainda estava viva. A natureza jamais a fizera com aquela forma, pois era demasiado evidente que estava *inacabada*. As suas deficiências eram as mais surpreendentes e as anomalias de suas proporções indescritíveis. Willett arrisca apenas dizer que esse tipo de coisa devia representar entidades que Ward evocara de *sais imperfeitos* e que conservava com propósitos servis ou rituais. Se não tivesse alguma importância, sua imagem não teria sido gravada naquela maldita pedra. Não era a pior coisa representada na pedra – mas Willett jamais abriu os outros poços. Naquele momento, a primeira ideia que ocorreu à sua mente foi um parágrafo de algumas das anotações do velho Curwen que ele havia analisado muito tempo antes, uma frase usada por Simon ou Jedediah Orne na impressionante carta apreendida, endereçada ao falecido feiticeiro:

"Com certeza, não havia senão o mais vivo horror naquilo que H. evocou daquilo que havia conseguido apenas em parte".

Então, para aumentar o horror da imagem em vez de afastá-la, surgiu a lembrança dos antigos e persistentes boatos sobre a coisa queimada e retorcida que fora encontrada nos campos uma semana após a incursão na fazenda de Curwen. Charles Ward certa vez contara ao médico o que o velho Slocum falara a respeito daquilo: que não era totalmente humana, nem se assemelhava a qualquer animal que o povo de Pawtuxet jamais tivesse visto ou a cujo respeito tivesse lido.

Essas palavras soavam na cabeça do doutor enquanto ele se agitava de lá para cá, agachado no chão salitroso de pedra. Tentou afastá-las e repetiu mentalmente o Padre-Nosso e este acabou se emendando a uma cantilena mnemônica como o moderno "Wates Land" de T. S. Eliot e enfim voltou à dupla fórmula mencionada tão frequentemente, que encontrara na biblioteca subterrânea de Ward: *Y'ai 'ng'ngah, Yog-Sothoth'* e assim por diante, até o *"Zhro"* final, sublinhado. Parecia acalmá-lo e, cambaleando, depois de algum tempo, ficou de pé; lamentando amargamente a perda da lanterna pelo horror, procurou com desespero à sua volta algum clarão de luz na pegajosa escuridão negra como tinta daquele ar gélido. Não conseguia pensar, mas procurou com os olhos em todas as direções em busca de um fraco vislumbre ou do reflexo da brilhante iluminação que deixara na biblioteca. Após alguns momentos pensou ter captado uma tênue luminosidade a uma distância infinita e nessa direção foi se arrastando com um cuidado angustiante sobre as mãos e os joelhos, entre o fedor e os uivos, sempre tateando à sua frente para não esbarrar nos inúmeros e enormes pilares ou mergulhar no poço abominável que havia destampado.

Em certo momento, seus dedos trêmulos tocaram algo que sabia serem os degraus do altar diabólico e afastou-se com repugnância desse local. Mais tarde, encontrou a laje perfurada que havia removido e aqui seu cuidado se tornou quase patético. Mas o fato de esbarrar na horrenda abertura não o fez parar. Aquilo que havia lá embaixo não produzia nenhum som nem se mexia. Evidentemente, mastigar a lanterna que caíra não havia sido bom para ele. Cada vez que os dedos de Willett apalpavam uma laje perfurada, ele estremecia. Sua passagem sobre a laje às vezes aumentava os gemidos embaixo, mas em geral não produzia nenhum efeito, pois seus movimentos não faziam qualquer barulho. Em vários momentos durante sua busca, o brilho à sua frente diminuiu perceptivelmente e ele se deu conta de que as velas e lampiões que havia deixado iam se apagando, um a um. A ideia de estar perdido na escuridão total, sem fósforos, nesse mundo subterrâneo de pesadelo com seus labirintos, impeliu-o a ficar de pé e correr, o que podia fazer sem perigo agora que havia passado o poço aberto, pois sabia que se a luz apagasse, a única esperança de se salvar e de sobreviver estaria na hipótese de o senhor Ward enviar um grupo em seu socorro, algum tempo após seu desaparecimento. No entanto, conseguiu sair do espaço aberto penetrando no corredor estreito e localizar definitivamente o brilho que vinha de uma porta à sua direita. Num instante alcançou-o e encontrou-se mais uma vez na biblioteca secreta do jovem Ward, e, tremendo aliviado, observou o extinguir-se do último lampião que o havia trazido para a salvação.

3

Em seguida, encheu os lampiões vazios com uma reserva de querosene que havia notado anteriormente e, quando a sala ficou de novo iluminada, olhou à sua volta para ver se encontraria uma outra lanterna que lhe permitisse uma ulterior exploração. Pois, embora aflito pelo horror, seu propósito inabalável era maior do que tudo e ele estava firmemente determinado a tentar qualquer coisa em sua busca dos fatos hediondos responsáveis pela bizarra loucura de Charles Ward. Não conseguindo encontrar uma lanterna, escolheu o menor dos lampiões para carregar consigo. Encheu também os bolsos de velas e fósforos e levou um galão de querosene com a intenção de guardá-lo como reserva no laboratório oculto que porventura viesse a descobrir do outro lado do terrível espaço aberto com o altar manchado e inomináveis fossas cobertas. Atravessar de novo aquele espaço exigiria sua total fortaleza de espírito, mas sabia que aquilo tinha de ser feito. Felizmente, nem o altar apavorante nem a laje aberta estavam perto da vasta parede com os buracos das celas que circundava a área da caverna e cujas misteriosas abóbadas negras constituíam os próximos alvos de uma busca lógica.

Assim, Willett voltou para o grande saguão cheio de pilares, em meio ao fedor e aos uivos angustiantes, baixou a chama dos lampiões para evitar qualquer vislumbre longínquo do altar infernal ou do poço descoberto com a laje de pedra perfurada virada ao seu lado. A maioria das passagens levava apenas a pequenos cômodos, alguns vazios, outros evidentemente usados como depósitos e, em vários destes, viu curiosas pilhas de objetos diversos. Um estava repleto de trouxas de roupas podres e cobertas de pó e o explorador estremeceu ao se dar conta de que se tratava inconfundivelmente de vestimentas de um século e meio antes. Em outro cômodo, encontrou numerosas peças de vestuário moderno, como se aos poucos estivessem sendo feitas provisões para equipar um vasto contingente de homens. Mas o que mais o desagradou foram as enormes bacias de cobre espalhadas aqui e ali; estas e as sinistras incrustações que havia sobre elas. Desagradaram-lhe ainda mais que as tigelas de chumbo com figuras fantasmagóricas, cujos restos continham depósitos tão asquerosos e em torno das quais pairavam os repelentes odores perceptíveis mesmo sobre o fedor geral da cripta. Quando completou quase metade da circunferência da parede, descobriu outro corredor como aquele do qual viera, em que se abriam várias portas.

Começou a inspecioná-lo e, depois de entrar em três cômodos de dimensões médias cujo conteúdo não tinha especial importância, chegou finalmente a um amplo apartamento oblongo cujos tanques e mesas, fornalhas e instrumentos modernos, livros ocasionais e inumeráveis prateleiras com jarros e garrafas de aspecto muito eficiente afirmavam sem sombra de dúvida tratar-se do há muito procurado laboratório de Charles Ward – e, antes dele, indubitavelmente do velho Joseph Curwen.

Após acender os três lampiões que encontrara já cheios e prontos, o doutor Willett examinou o local e todos os seus acessórios com a mais ávida curiosidade, observando, pelas quantidades relativas dos vários reagentes nas prateleiras, que o interesse dominante do jovem Ward devia ter sido algum campo da química orgânica. Ao todo, pouco se podia depreender da aparelhagem científica, que incluía uma mesa de dissecação de aspecto macabro, de modo que o cômodo em realidade o desapontou. Entre os livros havia um antigo exemplar em frangalhos de Borellus em letras góticas e foi fantasticamente interessante observar que Ward havia sublinhado o mesmo trecho que tanto perturbara o bom senhor Merritt na casa da fazenda de Curwen, há mais de um século e meio. A cópia mais antiga, evidentemente, devia ter perecido junto com o restante da oculta biblioteca de Curwen na incursão final. Três passagens em arco abriam-se fora do laboratório e o médico procedeu à sua exploração, uma por uma. Em sua rápida pesquisa, viu que duas conduziam simplesmente a pequenos depósitos que ele examinou com cuidado, notando as pilhas de caixões em vários estágios de ruína, e estremeceu violentamente quando conseguiu decifrar duas ou três das poucas placas sobre os caixões. Nesses cômodos havia também muita roupa armazenada e várias caixas novas e cuidadosamente pregadas que não se deteve para examinar. O mais interessante, talvez, eram alguns objetos esparsos que julgou serem fragmentos dos instrumentos de laboratório do velho Joseph Curwen. Haviam sido danificados pelas mãos dos invasores, mas ainda eram em parte reconhecíveis como a parafernália química do período georgiano.

A terceira passagem levava a uma sala de bom tamanho, totalmente revestida de prateleiras e tendo ao centro uma mesa com dois lampiões. Willett os acendeu e à sua luz brilhante examinou as intermináveis prateleiras que se estendiam à sua volta. Alguns dos níveis superiores estavam totalmente vazios, mas a maior parte do espaço estava preenchida por pequenos jarros de chumbo de formato estranho e de dois tipos: um alto e sem asas como *lekythoi* gregos ou jarros de óleo, e o outro com uma única asa e proporcional, como um jarro de Faleros. Todos tinham tampas de metal e estavam cobertos de símbolos de aspecto peculiar, em baixo-relevo. Num instante o médico observou que estes jarros estavam classificados com extremo rigor; todos os *lekythoi* ficavam num lado da sala com uma grande tabuleta de madeira em cima com a palavra "Custodes", e todos os jarros de Faleros do outro, igualmente rotulados com uma tabuleta dizendo "Materia". Cada um dos vasos ou jarros, exceto alguns sobre as prateleiras de cima que estavam vazios, tinham uma placa de papelão com um número que aparentemente se referia a um catálogo, e Willett resolveu procurá-lo. Por enquanto, porém, estava mais interessado na natureza dos objetos expostos em geral, e abriu, a título de experiência, vários *lekythoi* e Faleros ao acaso, tentando formar uma ideia geral. O resultado era invariável. Ambos os tipos de jarros continham uma pequena quantidade de uma única espécie de substância; um fino pó seco muito leve e de variadas nuanças de cor neutra e opaca. Não existia um método aparente na disposição das cores, o único elemento de variação, nem uma aparente distinção entre o conteúdo dos *lekythoi* e o dos Faleros. Um pó cinza-azulado estava ao lado de um pó branco-rosado e qualquer um dos que estavam nos Faleros podia ter sua exata contrapartida num *lekythoi*. A característica mais peculiar dos pós era o fato de não serem aderentes. Willett despejou um na mão e, ao colocá-lo de volta em seu jarro, constatou que não permanecia nenhum resíduo na palma.

O significado das duas tabuletas o intrigava e ficou imaginando por que essa bateria de substâncias químicas estava separada tão radicalmente daquelas nos jarros de vidro sobre as prateleiras do laboratório. "Custodes" e "Materia"; em latim significavam "Guardas" e "Matéria", respectivamente – e então, num lampejo de memória, lembrou onde havia visto a palavra "Guardas" antes, relacionada a este terrível mistério. Evidentemente, fora na recente carta endereçada ao doutor Allen supostamente pelo velho Edward Hutchinson, e a frase dizia: "Não havia necessidade de manter os guardas em forma comendo em demasia, com isto muitas coisas poderiam ser descobertas em caso de problema, como o senhor muito bem sabe". O que significava isto? Mas, um momento – não havia *outra* referência a "guardas" de que esquecera totalmente ao ler a carta de Hutchinson? Na época em que ainda não fazia tanto mistério, Ward falara-lhe a respeito do diário de Eleazer Smith, contando que Smith e Weeden espionavam a fazenda Curwen e naquela horrível crônica eram mencionadas conversas ouvidas antes que o velho bruxo se recolhesse totalmente debaixo da terra. Smith e Weeden insistiam que havia terríveis diálogos em que figuravam Curwen, alguns prisioneiros seus e os guardas desses prisioneiros. Esses guardas, segundo Hutchinson, ou seu avatar, "comiam demais", de modo que agora o doutor Allen não os mantinha mais *em forma.* E se não *em forma,* como senão nos "sais" nos quais parece que esse bando de bruxos tentava reduzir todos os corpos ou esqueletos humanos que podia?

Portanto, era *isso* que os *lekythoi* continham; o monstruoso fruto de rituais e ações iníquas, presumivelmente vencidos ou intimidados até cederem a esta submissão para ajudar quando evocados por alguma magia infernal, em defesa de seu blasfemo mestre ou nos interrogatórios daqueles que não estavam dispostos a ceder? Willett estremeceu à ideia daquilo que despejara em suas mãos e, por um instante, sentiu o impulso de sair correndo em pânico da caverna com suas horrendas prateleiras e suas silenciosas e quem sabe atentas sentinelas. Então pensou na "Matéria" – na miríade de jarros de Faleros do outro lado do cômodo. Sais também – e se não eram os dos "guardas", então os sais do quê? Meu Deus! Seria possível que aí se encontrassem os sais mortais de metade dos grandes pensadores de todas as eras; roubados por supremos vampiros das criptas onde o mundo os julgava em segurança, obedientes ao sinal de loucos que buscavam arrancar sua sabedoria por alguma finalidade ainda mais desvairada cuja consequência última afetaria, como o pobre Charles mencionara em seu bilhete desesperado, "toda a civilização, toda lei natural, quem sabe mesmo o destino do sistema solar e do universo?" E Marinus Bicknell Willett deixara escorrer seu pó em suas mãos!

Então observou uma pequena porta na extremidade do cômodo e, acalmando-se, aproximou-se dela examinando a tosca inscrição esculpida sobre ela. Era apenas um símbolo, mas encheu seu coração de um vago terror; pois, certa ocasião, um amigo seu, mórbido sonhador, o desenhara sobre um pedaço de papel e dissera-lhe alguns dos seus significados no negro abismo do sono. Era o símbolo de Koth, que os sonhadores veem fixado sobre o arco de uma torre negra que se ergue sozinha no crepúsculo – e Willett não gostara do que o amigo Randolph Carter lhe contara a respeito de seus poderes. Mas um segundo mais tarde ele havia esquecido o símbolo ao sentir um novo odor acre no ar fétido. Era um cheiro químico e não um cheiro animal, e vinha diretamente do cômodo atrás da porta. Inconfundivelmente, era o mesmo cheiro que saturava as roupas de Charles Ward no dia em que os médicos o haviam levado. Então era aqui que o jovem havia sido interrompido pela intimação final? Ele fora mais sábio do que o velho Joseph Curwen, pois não resistira. Willett, corajosamente determinado a penetrar em todos os mistérios e pesadelos que esse reino subterrâneo pudesse conter, agarrou o pequeno lampião e cruzou o limiar. Uma onda de terror indizível o envolveu, mas ele não cedeu e não condescendeu a nenhuma sensação. Não havia nada de vivo aqui que pudesse fazer-lhe algum mal e nada o impediria de penetrar a nuvem tenebrosa que tragara seu paciente.

O cômodo além da porta era de dimensões médias e não tinha mobília, com exceção de uma mesa, uma única cadeira e dois grupos de curiosas máquinas com braçadeiras e rodas que Willett reconheceu após um instante como instrumentos medievais de tortura. De um lado da porta havia um suporte para chibatas bárbaras, acima do qual havia algumas prateleiras com fileiras vazias de taças rasas de estanho providas de pé do formato de *kylikes* gregos. Do outro lado estava a mesa, com uma potente lâmpada de Argand, uma prancheta e um lápis e dois *lekythoi* tampados semelhantes aos das prateleiras do outro cômodo, espalhados, como se deixados temporariamente ou às pressas. Willett acendeu o lampião e olhou com cuidado a prancheta para ver que anotações o jovem Ward teria rabiscado rapidamente quando fora interrompido; mas não descobriu nada mais inteligível do que os seguintes fragmentos desconexos na caligrafia rabiscada de Curwen, que não esclareciam em absoluto o caso:

"B. não feito. Fugiu dentro das paredes e encontrou lugar lá embaixo."

"Vi o velho V. dizer o Sabaoth e aprendi o caminho."

"Evoquei três vezes *Yog-Sabaoth* e no dia seguinte fui libertado."

"F. tentou apagar todo conhecimento para evocar os de fora."

Enquanto a forte lâmpada de Argand iluminava todo o cômodo, o médico viu que a parede oposta à porta, entre os dois grupos de instrumentos de tortura nos cantos, estava coberta de ganchos nos quais estavam penduradas vestimentas disformes de um branco amarelado um tanto lúgubre. Mas muito mais interessantes eram as duas paredes vazias, ambas profusamente cobertas de símbolos e fórmulas grosseiramente gravadas na pedra lisa. O chão úmido também trazia marcas gravadas; mas com pouca dificuldade Willett decifrou um grande pentagrama no centro, com um círculo simples de cerca de três pés de largura, entre este e cada um dos outros cantos. Num desses quatro círculos, perto do qual uma veste amarelada havia sido atirada descuidadamente ao chão, havia um *kylix* raso do mesmo tipo encontrado nas prateleiras em cima do suporte das chibatas, e imediatamente fora da periferia havia um jarro de Faleros das prateleiras do outro cômodo e seu cartão tinha o número 118. Este não tinha tampa e, ao examiná-lo, constatou que estava vazio; mas o explorador viu com um arrepio que o *kylix* não estava. Em sua concavidade rasa, e impedido de se espalhar unicamente pela ausência de vento nessa caverna isolada, havia uma pequena quantidade de pó seco, verde opaco florescente, que devia pertencer ao jarro; e Willett quase cambaleou ao atinar de repente com as implicações, enquanto pouco a pouco relacionava os vários elementos e os antecedentes da cena. As chibatas e os instrumentos de tortura, o pó e os sais do jarro da "Materia", os dois *lekythoi* da prateleira dos "Custodes", as roupas, as fórmulas nas paredes, as anotações sobre a prancheta, as indicações contidas nas cartas e lendas e as milhares de vagas sugestões, dúvidas e suposições que atormentavam os amigos e pais de Charles Ward – tudo isto tragava o médico como uma onda de horror enquanto ele olhava o esverdeado pó seco espalhado no *kylix* de chumbo de pé alto sobre o chão.

No entanto, com algum esforço, Willett se recompôs e começou a examinar as fórmulas gravadas nas paredes. Pelas letras manchadas e cheias de incrustações era óbvio que haviam sido gravadas na época de Joseph Curwen, e o texto era vagamente familiar a alguém que havia lido tanto material sobre Curwen ou mergulhado intensamente na história da magia. Uma fórmula o médico reconheceu claramente como sendo aquela que a senhora Ward ouvira o filho recitar naquela nefanda Sexta-Feira Santa um ano antes e que um especialista dissera tratar-se de uma terrível invocação aos deuses secretos fora das esferas normais. Aqui não estava grafada exatamente como a senhora Ward a repetira de memória, tampouco como o especialista a mostrara a ele nas páginas proibidas de "Eliphas Levi", mas sua identidade era inconfundível e palavras como *Sabaoth, Metraton, Almonsin* e *Zariatnatmik* provocaram um arrepio de medo no explorador que havia visto e experimentado tanta abominação cósmica nas imediações do lugar.

Esta se encontrava na parede à esquerda de quem entrava. A parede à direita não estava menos coberta de inscrições e Willett sentiu um sobressalto ao se dar conta de que se tratava das duas fórmulas tão frequentes nas recentes anotações encontradas na biblioteca. Eram, *grosso modo,* as mesmas: com os antigos símbolos da "Cabeça do Dragão" e da "Cauda do Dragão" encabeçando-as, como nos rabiscos de Ward. Mas a grafia era muito diferente daquela das versões modernas, como se o velho Curwen tivesse uma maneira diferente de gravar sons, ou se estudos posteriores tivessem gerado variações mais potentes e aperfeiçoadas das invocações em questão. O médico tentou combinar a versão gravada com aquela que voltava insistentemente à sua cabeça, mas achou difícil. O trecho que ele havia memorizado começava com *"Y'ai 'ng'ngah, Yog-Sothoth"*, e esta epígrafe começava com *"Aye, cengehgah, Vogge- Sothotha",* o que na sua opinião interferiria seriamente com a escansão da segunda palavra.

Como o último texto estava profundamente gravado em sua consciência, a discrepância o incomodava e ele se percebeu recitando a primeira das fórmulas em voz alta na tentativa de fazer corresponder o som que concebera com as letras gravadas que acabava de descobrir. Sua voz soava fantasmagórica e ameaçadora naquele abismo de antigas blasfêmias, suas cadências eram as de uma cantilena sussurrada pela magia do passado e do desconhecido, ou pelo demoníaco exemplo daqueles gemidos surdos, ímpios, dos poços, cuja frieza desumana subia e baixava ritmicamente, em meio ao fedor e à escuridão.

"Y'AI'NG'NGAH
YOG-SOTHOTH
H'EE – L'GEB
F'AI' THRODOG
UAAAH!

Mas o que era esse vento gélido que criara vida ao canto? Os lampiões bruxuleavam tristemente e a escuridão tornara-se tão densa que as letras na parede se apagavam. Havia fumaça também e um odor acre que quase sobrepujava o fedor dos poços distantes; um odor como aquele que sentira antes, mas infinitamente mais forte e mais pungente. Desviou o olhar das inscrições, virou-se para o cômodo com seus objetos bizarros e viu que do *kylix* no chão, que continha o sinistro pó florescente, se desprendia uma nuvem de espesso vapor negro-acinzentado de volume e opacidade surpreendentes. Aquele pó – Deus Todo-poderoso! saíra da prateleira da "Materia" –, o que estava fazendo agora, o que o provocara? A fórmula que ele recitava – a primeira das duas, a Cabeça do Dragão, o *nó ascendente* – Jesus Bendito, poderia ser...

O médico teve uma vertigem e pela sua cabeça passaram aceleradamente trechos desconexos de tudo aquilo que ele havia visto, ouvido e lido a respeito do espantoso caso de Joseph Curwen e Charles Dexter Ward. "Digo-lhe novamente, não evoque ninguém que não possa mandar de volta... Tenha as palavras prontas todas as vezes para mandar de volta e não se detenha para ter certeza quando houver alguma dúvida de *quem* o senhor tem... Três conversas com *Aquilo* que estava inumado..." *Deus do Céu, o que era aquela forma atrás da fumaça que estava se dissipando?*

4

Marinus Bicknell Willett não esperava nem um pouco que as pessoas acreditassem mesmo em parte em seu relato, com exceção de algum amigo condescendente, portanto, não fez qualquer tentativa de narrá-lo fora do círculo dos mais íntimos. Somente alguns estranhos a este círculo o ouviram e a maioria destes ri e observa que, com certeza, o médico está ficando velho. Foi aconselhado a tirar umas férias prolongadas e a evitar casos futuros de distúrbios mentais. Mas o senhor Ward sabe que o velho médico diz uma horrível verdade. Acaso ele próprio não viu a pestilenta abertura no porão do bangalô? Willett não o mandara para casa vencido e doente às onze horas daquela agourenta manhã? Acaso não telefonou em vão ao médico naquela noite e novamente no dia seguinte, e não foi de carro até o bangalô ao meio-dia encontrando o amigo inconsciente, porém incólume, numa das camas do andar superior? Willett estertorava e abriu lentamente os olhos quando o senhor Ward lhe deu um conhaque que buscara no carro. Então teve um calafrio e gritou, *"Aquela barba... aqueles olhos... Meu Deus, quem é você?"* Algo muito estranho a ser dito a um cavalheiro elegante, de olhos azuis, bem escanhoado, a quem ele conhecia desde a adolescência.

Na luminosidade do meio-dia o bangalô não havia mudado desde a manhã anterior. As roupas de Willett não estavam desalinhadas, com exceção de algumas manchas, os joelhos um pouco puídos, e um leve odor acre lembrou ao senhor Ward aquele que sentira em seu filho no dia em que este fora levado ao hospital. A lanterna do doutor estava faltando, mas sua valise estava lá, inteira, vazia como quando ele a trouxera. Antes de se delongar em explicações e obviamente com um grande esforço moral, Willett cambaleava completamente tonto enquanto descia até o porão onde tentou forçar a fatal plataforma diante da tina. Não cedia. Atravessou o local e foi ao lugar onde havia deixado sua sacola de ferramentas, que não usara no dia anterior, pegou um formão e começou a forçar as pranchas renitentes, uma por uma. Embaixo, o concreto liso ainda era visível, mas já não havia sinal de qualquer abertura ou perfuração. Nada se escancarava dessa vez, aterrorizando o pai desorientado que seguira o médico no porão; somente o concreto liso embaixo das pranchas – nenhum poço fétido, nenhum mundo de horrores subterrâneos, nenhuma biblioteca secreta, nem papéis de Curwen, nem poços dignos de pesadelos com fedores e uivos, nenhum laboratório ou prateleiras ou fórmulas gravadas nas paredes, nada... O doutor Willett ficou pálido e se agarrou ao homem mais jovem. "Ontem", perguntou em voz branda, "você o viu aqui... e sentiu o cheiro?" E quando o próprio senhor Ward, petrificado pelo horror e pelo espanto, encontrou forças para acenar afirmativamente, o médico emitiu um som, quase um suspiro ou um estertor e acenou por sua vez. "Então vou lhe contar", ele disse.

Assim, durante uma hora, no cômodo mais ensolarado que conseguiram encontrar no andar de cima, o médico sussurrou seu relato estarrecedor ao pai surpreso. Não havia nada a contar além daquela forma que aparecera quando o vapor negro-esverdeado começou a se desprender do *kylix* e Willett estava demasiado fatigado para perguntar a si mesmo o que em realidade acontecera. Os dois homens desnorteados ficaram abanando a cabeça, num gesto inútil, e a certa altura o senhor Ward arriscou uma sugestão num sussurro. "O senhor supõe que seria útil cavar?" O médico ficou calado, pois parecia inadequado a qualquer espírito humano responder quando poderes e esferas desconhecidas haviam invadido de modo tão extraordinário esse lado do Grande Abismo. De novo o senhor Ward perguntou: "Mas aonde foi? Ele trouxe o senhor aqui, o senhor sabe, e vedou de alguma forma o buraco". E Willett de novo deixou o silêncio falar em seu lugar.

Mas, apesar de tudo, o assunto não estava encerrado. Pegando o lenço antes de se levantar para ir embora, os dedos do doutor Willett agarraram no bolso um pedaço de papel que não estava lá antes, junto com as velas e os fósforos que havia apanhado no subterrâneo desaparecido. Era uma folha de papel comum, arrancada obviamente da prancha barata naquele fantástico cômodo dos horrores, em algum ponto debaixo da terra, e o que estava escrito nele havia sido rabiscado com um lápis comum – sem dúvida aquele mesmo que se encontrava ao lado da prancha. Estava dobrado de qualquer jeito e, à parte o leve odor acre do cômodo misterioso, não trazia nenhum sinal ou marca de algum outro mundo além desse. Mas, em realidade, o texto estava impregnado de mistério, pois a caligrafia não pertencia a nenhuma época normal, mas os traços elaborados de perversidade medieval, quase ilegíveis para o leigo que agora se esforçava em decifrá-lo, continham combinações de símbolos vagamente familiares.

[manuscrito]

Essa era a mensagem rabiscada às pressas e seu mistério ofereceu um objetivo aos dois homens bastante abalados, os quais sem demora se encaminharam decididos para o carro de Ward, pedindo para serem levados primeiramente a um lugar tranquilo a fim de almoçar e depois para a Biblioteca John Hay, sobre a colina.

Na biblioteca foi fácil encontrar bons manuais de paleografia e os dois se debruçaram sobre estes até que as luzes começaram a brilhar no grande lustre. No fim, encontraram aquilo de que precisavam. Em realidade, as letras não eram uma invenção fantástica, mas a escritura normal de um período obscuro. Tratava-se de um pontudo cursivo saxônio do século VIII ou IX e trazia consigo as memórias de uma época misteriosa em que, sob o recente verniz cristão, agitavam-se furtivamente crenças e ritos antigos e a pálida lua da Bretanha às vezes testemunhava estranhos acontecimentos nas ruínas romanas de Caerleon e Hexhaus e perto das Torres ao longo da muralha de Adriano agora em ruínas. As palavras eram num latim lembrado numa época bárbara – *"Corwinus necandus est. Cadaver aq(ua) forti dissolvendum, nec aliq(ui)d retinendum. Tace ut potes."* E podemos traduzi-las como: "Curwen deve ser morto. O corpo deve ser dissolvido em *aqua fortis* e nada pode restar. Manter o maior silêncio possível".

Willett e o senhor Ward estavam mudos e perplexos. Haviam encontrado o desconhecido e percebiam que não conseguiam reagir emocionalmente como, em modo vago, achavam que deveriam. Willett, em particular, quase esgotara a capacidade de experimentar novas impressões de horror; os dois homens ficaram sentados, imóveis e desamparados, sem saber o que fazer até a hora de fechar a biblioteca, quando foram obrigados a sair. Então, indiferentes, voltaram à mansão Ward em Prospect Street e conversaram sobre coisas banais até tarde da noite. O médico foi descansar ao amanhecer, mas não voltou para casa. E lá se encontrava ainda ao meio-dia do domingo quando os detetives que haviam sido incumbidos de investigar o doutor Allen telefonaram.

O senhor Ward, que caminhava nervosamente para cima e para baixo de roupão, respondeu pessoalmente e, ao ouvir que o relatório estava quase pronto, disse aos homens que aparecessem na manhã seguinte cedo. Willett e ele ficaram contentes que esta fase do caso estivesse começando a tomar forma, pois qualquer que fosse a origem da estranha mensagem manuscrita, parecia certo que o "Curwen" a ser destruído não podia ser outra pessoa senão o estranho de barba e óculos. Charles temia esse homem e havia dito na mensagem desesperada que ele deveria ser morto e dissolvido em ácido. Além disso, Allen estava recebendo cartas dos estranhos bruxos da Europa usando o nome de Curwen e claramente se considerava um avatar do falecido necromante. E agora, de uma fonte nova e desconhecida, surgia uma mensagem dizendo que "Curwen" devia ser morto e dissolvido em ácido. A ligação era demasiado inconfundível para ser artificial; além disso, não estava Allen planejando assassinar o jovem Ward por conselho da criatura chamada Hutchinson? Evidentemente, a carta que eles haviam lido nunca chegara ao estrangeiro barbudo; mas, por seu conteúdo, eles podiam constatar que Allen já havia feito planos de cuidar do jovem caso este ficasse demasiado "melindroso". Sem dúvida, Allen devia ser detido e, mesmo que não fossem tomadas as medidas mais drásticas, deveria ser posto em condições de não mais prejudicar Charles Ward.

Naquela tarde, esperando, contrariamente a todas as expectativas, extrair algum vislumbre de informação sobre os mais profundos mistérios da única pessoa capaz de fornecê-la, o pai e o médico desceram a baía e visitaram o jovem Charles no hospital. De modo simples e grave, Willett contou-lhe tudo o que havia descoberto e se deu conta de que o jovem empalidecia a cada descrição que comprovava a veracidade da descoberta. O médico empregou o máximo efeito dramático de que foi capaz e ficou observando um estremecimento de Charles quando abordou o assunto dos poços cobertos e dos hídricos inomináveis neles contidos. Mas Ward não se abalou. Willett parou e sua voz soou indignada ao comentar que as coisas estavam morrendo de fome. Acusou o jovem de mostrar uma chocante desumanidade e tremeu quando, em resposta, obteve apenas uma risada sardônica. Pois Charles, desistindo de simular, visto que se tornara inútil, que a cripta não existia, parecia considerar o caso uma pilhéria horrível e ria roucamente com algo que o divertia. Então sussurrou, em tons duplamente terríveis por causa da voz áspera: "Malditos, eles *comem* mesmo, mas *não precisam disso!* Isto é que é curioso! Um mês, o senhor diz, sem comida? Deus, como o senhor é modesto! Sabe, essa foi a piada para o pobre velho Whipple, com sua virtuosa fanfarronice! Matar a todos era o que ele queria? Pois, diabo, ficou meio surdo com o ruído do Além e não viu ou ouviu nada nos poços. Ele jamais sonhou que estavam lá! Que o diabo as carregue, aquelas *coisas malditas estão uivando lá embaixo desde que acabaram com Curwen, há cento e cinquenta e sete anos".

Mas Willett não conseguiu tirar mais do que isso do jovem. Horrorizado, contudo quase convencido contra sua vontade, continuou seu relato na esperança de que algum incidente pudesse despertar seu ouvinte da louca compostura que ele mantinha. Olhando para o rosto do jovem, o médico não podia deixar de sentir uma espécie de terror com as mudanças que os últimos meses haviam produzido. Em verdade, o rapaz chamara dos céus horrores indescritíveis. Quando o cômodo com as fórmulas e o pó esverdeado foram mencionados, Charles mostrou o primeiro sinal de animação. Um ar zombeteiro espalhou-se por seu rosto enquanto ouviu o que Willett havia lido na prancheta e arriscou a fraca afirmação de que aquelas anotações eram antigas, sem nenhuma eventual importância para ninguém que não fosse profundamente iniciado na história da magia. "Mas", acrescentou, "se o senhor conhecesse as palavras para evocar aquele que eu tinha na taça, não estaria aqui agora para me contar isto. Era o Número 118 e garanto que teria tremido se tivesse visto minha lista no outro cômodo. Eu nunca o havia chamado, mas pretendia fazê-lo no dia em que o senhor foi à minha casa para sugerir que eu viesse para cá."

Então Willett mencionou a fórmula que recitara e a fumaça negra-esverdeada que saíra e, ao fazer isto, viu pela primeira vez o medo despontar no rosto de Charles Ward. "Ele *veio* e você está vivo!" Enquanto Ward grasnava as palavras, sua voz parecia quase explodir, libertando-se do que a prendia, e mergulhar em abismos cavernosos de sinistras ressonâncias. Willett, iluminado por um lampejo de inspiração, acreditou ter compreendido a situação e colocou em sua resposta uma advertência contida numa carta que ele lembrava. "Número 118, você diz? Mas não esqueça que *as pedras foram todas mudadas agora em nove cemitérios em cada dez*. Você nunca tem certeza se não pergunta!" E então, repentinamente, pegou a mensagem em gótico, colocando-a diante dos olhos do paciente. Não poderia esperar uma reação maior, pois Charles Ward desmaiou em seguida.

Toda esta conversa, evidentemente, fora realizada em grande sigilo, para que os psiquiatras residentes não acusassem o pai e o doutor de encorajar os delírios de um louco. Sem solicitar qualquer ajuda também, o doutor Willett e o senhor Ward ergueram o jovem e o colocaram no divã. Ao voltar a si, o paciente murmurou várias vezes que deveria dizer algo a Orne e Hutchinson imediatamente; assim, quando pareceu recobrar de todo a consciência, o médico lhe disse que pelo menos uma daquelas estranhas criaturas era seu grande inimigo e aconselhara o doutor Allen a assassiná-lo. Essa revelação não produziu um efeito visível e, antes mesmo que ela fosse feita, os visitantes puderam perceber que seu anfitrião já tinha o aspecto de um homem acuado. Depois disso, não conversou mais e então Willett e o pai se despediram, deixando uma advertência contra o barbudo Allen, à qual o jovem apenas replicou que este indivíduo estava sendo bem vigiado e não poderia fazer mal a ninguém ainda que quisesse. Estas palavras foram pronunciadas com uma risadinha quase maligna, dolorosa de se ouvir. Eles não se preocuparam com o que Charles poderia escrever aos dois monstruosos indivíduos na Europa, porque sabiam que as autoridades do hospital apreendiam toda a correspondência que saía e não deixariam passar nenhuma missiva desvairada ou bizarra.

No entanto, há uma curiosa continuação da questão de Orne e Hutchinson, se é que eram de fato estes os bruxos exilados. Movido por um vago pressentimento em meio aos horrores daquele período, Willett conseguiu, de uma agência internacional de notícias, recortes sobre importantes crimes e acidentes ocorridos recentemente em Praga e na Transilvânia oriental; depois de seis meses acreditou ter descoberto duas coisas bastante significativas entre os variados artigos que recebeu e mandou traduzir. Uma era a destruição completa de uma casa durante a noite, no bairro mais antigo de Praga, e o desaparecimento do malvado velho chamado Josef Nadeh, que nela morava sozinho desde há tempos imemoriais. A outra foi uma explosão gigantesca nas montanhas da Transilvânia, a oriente de Rakus, e o desaparecimento completo, com todos os seus habitantes, do famigerado Castelo Ferenczy, a respeito de cujo dono tão mal falavam camponeses e soldados o qual, inclusive, dentro em breve seria convocado em Bucareste para rigorosas investigações, se esse incidente não acabasse com uma carreira que já se estendia muito anteriormente a toda lembrança comum. Willett afirma que a mão que escrevera aquelas letras seria capaz de segurar armas muito mais fortes também e que, embora ficasse incumbido de dar cabo de Curwen, o autor da mensagem sentia-se capaz de encontrar e liquidar Orne e o próprio Hutchinson. O doutor esforça-se diligentemente em não pensar em qual poderá ter sido o destino daqueles.

5

Na manhã seguinte, o doutor Willett dirigiu-se apressadamente para a residência dos Ward para estar presente quando os detetives chegassem. A destruição ou prisão de Allen – ou de Curwen, se pudesse considerar válida a tácita declaração de reencarnação –, em sua opinião, deveria ocorrer a qualquer custo e comunicou esta convicção ao senhor Ward enquanto esperavam a chegada dos homens. Dessa vez estavam no andar térreo da casa, pois os andares superiores começavam a ser evitados devido a uma peculiar atmosfera repugnante que parecia impregná-los indefinidamente, repugnância que os criados mais antigos relacionavam a uma maldição deixada pelo retrato desaparecido de Curwen.

Às nove horas, os três detetives se apresentaram e de pronto expuseram tudo o que tinham a dizer. Infelizmente, não haviam localizado o português Tony Gomes como pretendiam, tampouco haviam encontrado o menor indício da procedência do doutor Allen ou mesmo de seu atual paradeiro, mas haviam conseguido descobrir um número considerável de impressões locais e de fatos concernentes ao reticente estrangeiro. Allen era visto pelo povo de Pawtuxet como um ser vagamente antinatural e a opinião geral era que sua espessa barba cor de areia fosse tingida ou postiça – opinião definitivamente confirmada pela descoberta de uma barba postiça junto a um par de óculos escuros em seu quarto no fatídico bangalô. Sua voz, nesse caso o senhor Ward poderia testemunhar pela única conversa telefônica que tivera com ele, tinha um tom profundo e cavernoso que não podia ser esquecido facilmente, e seu olhar parecia maldoso mesmo através de seus óculos escuros de aro de tartaruga. Um comerciante, no decorrer de certas transações, havia visto uma amostra de sua caligrafia e declarou que era muito estranha e cheia de garatujas, sendo isto confirmado pelas notas a lápis, de um significado um tanto obscuro, encontradas em seu quarto e identificadas pelo comerciante.

Quanto aos boatos de vampirismo do verão anterior, a maioria dos comentários pressupunha que Allen, e não Ward, era o verdadeiro vampiro. Declarações foram obtidas também dos policiais que haviam visitado o bangalô após o desagradável incidente do roubo do caminhão. Eles não haviam percebido nada de sinistro no doutor Allen, mas o haviam visto como a figura principal no curioso e sombrio bangalô. O local estava demasiado escuro para que eles pudessem observá-lo claramente, mas o reconheceriam se voltassem a vê-lo. Sua barba parecia estranha e eles achavam que o personagem tinha uma pequena cicatriz sobre o olho direito coberto pelos óculos escuros. Quanto à busca no quarto de Allen, não revelou nada de definido, com exceção da barba e dos óculos, e várias anotações escritas a lápis numa letra cheia de garatujas, que Willett percebeu imediatamente ser idêntica à dos manuscritos do velho Curwen e à do recente volume de anotações do jovem Ward, descoberto nas catacumbas do terror agora desaparecidas.

O doutor Willett e o senhor Ward captaram uma sensação de profundo, sutil e insidioso terror cósmico à medida que essas informações lhes eram apresentadas e quase tremeram ao perceberem a vaga e louca ideia que aparecera simultaneamente na mente de ambos. A barba postiça e os óculos, a caligrafia garatujada de Curwen – o antigo retrato com a minúscula cicatriz, *o jovem perturbado no hospital com a mesma cicatriz,* a voz profunda e surda ao telefone –, não foi disso que o senhor Ward se lembrou quando seu filho pronunciou aquela espécie de latidos em tom esganiçado, aos quais dizia estar reduzida agora sua voz? Quem alguma vez havia visto Charles e Allen juntos? Sim, os policiais os haviam visto uma vez, mas quem mais a partir daí? Não fora quando Allen partira que Charles de repente perdera seu medo crescente e começara a viver definitivamente no bangalô? Curwen – Allen – Ward – em que fusão blasfema e abominável duas idades e duas pessoas haviam se fundido? Aquela execrável semelhança do quadro com Charles – não costumara observar insistentemente e seguir o rapaz pelo quarto com os olhos? Por que, então, Allen e Charles copiavam a caligrafia de Joseph Curwen, mesmo quando sozinhos e sem necessidade de estar em guarda? E depois o trabalho horroroso daquelas pessoas, a cripta dos horrores agora desaparecida, que fizera o médico envelhecer da noite para o dia; os monstros esfomeados nos poços fedorentos; a horrível fórmula que provocara resultados tão indescritíveis; a mensagem em cursivo encontrada no bolso de Willett; os papéis e cartas e toda aquela conversa sobre túmulos, "sais" e descobertas – para onde levaria tudo aquilo? No fim, o senhor Ward fez a coisa mais sensata. Sem se perguntar por que fazia aquilo, deu aos detetives algo para que o mostrassem aos comerciantes de Pawtuxet que haviam conhecido o misterioso doutor Allen. Tratava-se de uma fotografia do seu infeliz filho, na qual ele desenhara cuidadosamente à tinta o par de pesados óculos e a barba negra e pontuda que os homens haviam trazido do quarto de Allen.

Por duas horas ele aguardou com o médico no ambiente opressivo da casa onde o medo e os miasmas estavam lentamente se adensando, enquanto o painel vazio na biblioteca lá em cima olhava e continuava a olhar sem interrupção. Então os homens voltaram. Sim, *a fotografia retocada assemelhava-se de modo passável ao doutor Allen.* O senhor Ward ficou pálido e Willett limpou com o lenço a testa subitamente molhada de suor. Allen – Ward – Curwen – tudo estava se tornando demasiado horrendo para alguém poder pensar de modo coerente. O que o rapaz evocara do vazio e o que aquilo fizera com ele? O que havia acontecido, em realidade, desde o princípio até o fim? Quem era esse Allen que tentara matar Charles por considerá-lo demasiado "melindroso" e por que sua vítima predestinada dissera no pós-escrito daquela carta desesperada que ele deveria ser completamente dissolvido em ácido? Por que, também, a mensagem, em cuja origem nenhum dos dois sequer ousava pensar, dissera que "Curwen" devia ser do mesmo modo destruído? Qual era a *mudança* e quando ocorrera o estágio final? No dia em que chegara sua carta desesperada – ele andara nervoso a manhã toda, então houve uma alteração. Esgueirara-se sem ser visto e voltara passando atrevidamente pelos guardas que haviam sido contratados para vigiá-lo. Fora naquela hora, enquanto ele saíra. Mas não – ele não gritara de terror ao entrar no escritório – naquele mesmo quarto? O que encontrara lá?

Ou, esperem – o *que o encontrara?* Aquele simulacro que entrara rápida e atrevidamente sem ser visto – seria uma sombra alienígena, um ser horripilante introduzindo-se à força numa figura trêmula que jamais se fora totalmente? O mordomo não falara por acaso de ruídos estranhos?

Willett chamou o empregado e lhe fez algumas perguntas em voz baixa. Havia sido mesmo um negócio muito feio. Houve muito barulho – gritos, estertores e uma espécie de algazarra, rangidos ou baques surdos, ou tudo isto ao mesmo tempo. E o senhor Charles não era mais o mesmo quando saiu a passos longos e silenciosos, sem pronunciar uma palavra. O mordomo estremecia ao falar e cheirou o ar pesado que vinha de alguma janela aberta dos andares superiores. O terror estabelecera-se definitivamente naquela casa e somente os diligentes detetives não se davam plenamente conta disso. Mas até eles se mostravam inquietos, pois esse caso tinha como pano de fundo vagos elementos que não lhes agradavam em absoluto. O doutor Willett estava pensando profunda e rapidamente e seus pensamentos eram terríveis. Vez por outra ele quase desatou a resmungar enquanto em sua mente analisava uma nova cadeia assustadora e cada vez mais conclusiva de acontecimentos de pesadelo.

Então o senhor Ward fez um sinal para indicar que a conferência acabara e todos, menos ele e o médico, saíram da sala. Já era meio-dia, mas as trevas, como se a noite estivesse próxima, pareciam tragar a casa assombrada por fantasmas. Willett começou a conversar muito seriamente com seu anfitrião e instou-o a confiar-lhe grande parte das futuras investigações. Previa que haveria certos elementos detestáveis que um amigo toleraria melhor do que um parente. Como médico da família, deveria ter liberdade de ação e a primeira coisa que exigiu foi que lhe permitisse passar algum tempo sozinho e sem ser incomodado na biblioteca do andar de cima, onde a peça sobre a lareira atraíra ao seu redor um horror deletério mais intenso do que quando as feições do próprio Joseph Curwen miravam maliciosamente de cima do painel pintado.

O senhor Ward, confuso pela maré de grotesca morbidez e de sugestões inimagináveis e enlouquecedoras que jorravam de todas as partes, só poderia concordar, e meia hora mais tarde o médico era trancado na sala com o painel de Olney Court evitada por todos. O pai, escutando do lado de fora, ouviu ruídos desajeitados de alguém remexendo e procurando enquanto o tempo passava e, finalmente, um repuxão violento e um rangido, como se a porta de um armário firmemente fechada tivesse sido aberta. Então ouviu-se um grito abafado, uma espécie de resfôlego sufocado e um bater apressado do que havia sido aberto. Quase imediatamente a chave tiniu e Willett apareceu no saguão, com um ar perturbado e espectral, pedindo lenha para a lareira de verdade na parede sul da sala. A fornalha não era suficiente, ele disse, e a lareira elétrica tinha pouca utilidade prática. Ansioso, mas sem ousar fazer perguntas, o senhor Ward deu as ordens necessárias e um criado trouxe grandes troncos de pinho, estremecendo ao entrar no ar corrompido da biblioteca para colocá-los sobre a grade. Enquanto isso, Willett subira até o laboratório desmantelado e trouxera para baixo algumas bugigangas deixadas para trás na mudança do mês de julho. Estavam num cesto coberto e o senhor Ward nunca pôde ver do que se tratava.

Então o médico voltou a se trancar na biblioteca e, pelas nuvens de fumaça que saíam da chaminé e passavam em grandes rolos pela janela, percebeu-se que ele havia aceso o fogo. Mais tarde, depois de muitos ruídos de jornais remexidos, ouviu-se novamente aquele curioso repuxão e rangido, seguidos por um baque surdo que desagradou a todos os que estavam escutando. Então ouviram-se dois gritos abafados de Willett e logo depois disso um sussurro sibilado de um som indefinidamente detestável. Finalmente, a fumaça que o vento trazia para baixo da chaminé tornou-se muito escura e acre, e todos desejaram que o tempo lhes poupasse esta asfixiante e venenosa inundação de vapores estranhos. A cabeça do senhor Ward rodava vertiginosamente e todos os criados formaram um grupo compacto para olhar a horrível fumaça negra arremeter para baixo. Após o que pareciam séculos, os vapores começaram a clarear e ruídos indefinidos de alguém raspando, varrendo e realizando outras operações menores foram ouvidos atrás da porta trancada. Finalmente, após um bater de portas de algum armário no interior, Willett apareceu, triste, pálido e com o semblante perturbado, carregando o cesto coberto com um pano que havia retirado do laboratório em cima. Havia deixado a janela aberta e, naquela sala outrora amaldiçoada, penetrava agora em profusão o ar puro e saudável misturando-se a um novo cheiro estranho de desinfetantes. A velha peça continuava em seu lugar, mas agora parecia despida de sua malignidade e estava tão calma e imponente em seus painéis brancos como se jamais tivesse exibido o retrato de Joseph Curwen. A noite se aproximava, no entanto dessa vez suas sombras não estavam carregadas de terrores latentes, mas apenas de uma delicada melancolia. O médico jamais comentou a respeito do que havia feito. Ele disse ao senhor Ward: "Não posso responder a nenhuma pergunta, direi apenas que existem diferentes tipos de magia. Fiz uma grande purificação. Os habitantes dessa casa dormirão melhor graças a isto".

6

Que a "purificação" do doutor Willett consistiu uma provação quase tão enlouquecedora quanto suas horrendas perambulações pela cripta agora desaparecida demonstra-o o fato de que o velho médico desmaiou ao chegar em casa naquela noite. Durante três dias ele permaneceu constantemente em seu quarto, embora os criados mais tarde comentassem que o ouviram após a meia-noite da quarta-feira, quando a porta principal se abriu delicadamente e se fechou com espantoso cuidado. Felizmente, a imaginação dos criados é limitada, caso contrário os comentários poderiam se deixar influenciar por um artigo publicado na quinta-feira no *Evening Bulletin,* que dizia o seguinte:

VAMPIROS DO CEMITÉRIO NORTE AGEM MAIS UMA VEZ

Após uma calmaria de dez meses, desde os covardes atos de vandalismo cometidos no jazigo da família Weeden no Cemitério Norte, um gatuno noturno foi avistado nessa madrugada no mesmo cemitério por Robert Hart, o vigia da noite. Olhando de sua guarita por volta das duas da manhã, Hart observou a luz de uma lanterna de bolso não muito longe da ala norte e, ao abrir a porta, avistou a silhueta de um homem com uma colher de pedreiro claramente recortada contra uma luz elétrica das proximidades. Imediatamente correu em sua perseguição e viu a figura largar a toda pressa em direção da entrada principal, ganhando a rua e desaparecendo na escuridão antes que ele pudesse se aproximar e agarrá-la.

Como o primeiro da série de vampiros que agiram no ano passado, esse invasor não provocou danos reais antes de ser surpreendido. Uma parte vaga do jazigo dos Ward mostrava sinais de escavação superficial, mas nada que se assemelhasse às dimensões de um túmulo e, por outro lado, nenhum outro túmulo foi molestado.

Hart, que pode apenas descrever o intruso como um homem baixo, provavelmente barbudo, acredita que os três casos de violação de túmulos tenham uma origem comum; mas a polícia do Segundo Distrito tem outra opinião, considerando a selvageria do segundo incidente, no qual foi levado um caixão antigo e sua lápide foi violentamente despedaçada.

O primeiro dos incidentes, no qual acredita-se ter sido frustrada uma tentativa de enterrar algo, uma coisa ocorreu um ano atrás, em março passado, e foi atribuída a contrabandistas que procuravam um esconderijo para sua mercadoria. É possível, afirma o sargento Riley, que esse terceiro caso seja de natureza semelhante. Policiais do Segundo Distrito estão tomando medidas especiais para capturar a gangue de perversos indivíduos responsável por estas repetidas violações.

Durante toda a quinta-feira o doutor Willett descansou como para se recuperar de algo ou preparando-se para algo futuro. À noite, escreveu um bilhete ao senhor Ward, que foi entregue na manhã seguinte e fez com que o pai, pasmo, mergulhasse em longas e profundas meditações. O senhor Ward não conseguia voltar ao trabalho desde o choque da segunda-feira, com seus desconcertantes relatos e sua sinistra "purificação", mas achou algo reconfortante a carta do médico, apesar do desespero que parecia prometer e dos novos mistérios que parecia evocar.

Barnes St., nº 10
Providence, R. I.,
12 de abril de 1928

Caro Theodore,
Acho que preciso dizer-lhe algo antes de fazer o que pretendo amanhã. Servirá para encerrar o terrível caso que vivemos (pois penso que nenhuma pá no mundo conseguirá chegar até o lugar monstruoso que nós conhecemos), mas temo que não aplacará seu espírito a não ser que eu o assegure expressamente de que será uma ação definitiva.

Você me conhece desde que era menino, portanto, acho que não me privará de sua confiança quando sugiro que é melhor deixar alguns assuntos inconcluídos e inexplorados. É melhor que você não tente mais nenhuma especulação a respeito do caso de Charles e é quase imperativo que não conte à mãe do rapaz mais do que ela já suspeita. Quando eu for visitá-lo amanhã, Charles terá fugido. Isto é tudo o que as pessoas devem saber. Ele era louco e fugiu. Pode contar com cuidado à sua mãe e, gradativamente, o episódio da loucura quando deixar de enviar-lhe as cartas datilografadas em nome dele. Eu o aconselharia a ir para junto dela, em Atlantic City, e tirar umas férias. Deus sabe que precisa depois desse choque, assim como eu. Irei para o Sul por algum tempo para me acalmar e pôr a cabeça no lugar.

Portanto, não me faça nenhuma pergunta quando eu aparecer por aí. Pode ser que alguma coisa saia errada, mas eu lhe direi caso isso aconteça. Não acredito que acontecerá. Não haverá mais nada para se preocupar, porque Charles estará muito, muito seguro. Agora – ele está mais seguro do que você poderia sonhar. Não precisa temer nada de Allen, nem de quem ou do que ele possa ser. Ele faz parte do passado tanto quanto o quadro de Joseph Curwen e, quando eu tocar sua campainha, pode ter certeza de que essa pessoa não existirá. E quem escreveu aquela mensagem em cursivo nunca mais perturbará a você ou aos seus.

Mas você não pode se entregar à melancolia e deve preparar sua esposa para fazer o mesmo. Devo dizer-lhe com franqueza que a fuga de Charles não significará que ele lhe será devolvido. Ele foi afetado por uma doença peculiar, como deve ter percebido pelas sutis alterações físicas e mentais que ocorreram nele, e não deve esperar vê-lo novamente. Tenha apenas este consolo – que ele jamais foi um espírito maligno ou mesmo um louco de verdade, mas apenas um menino ambicioso, estudioso e curioso cujo amor pelo mistério e pelo passado foi sua ruína. Ele descobriu coisas que nenhum mortal deveria conhecer e recuou no tempo como nenhum outro homem e de todos esses anos saiu algo que o devorou.

E agora chegamos ao assunto a respeito do qual devo pedir-lhe que confie em mim acima de qualquer coisa. Pois, em realidade, não teremos nenhuma incerteza sobre o destino de Charles. No prazo de mais ou menos um ano, se o desejar, você poderá pensar, se desejar, num relato adequado do fim, pois o rapaz não existirá mais. Pode colocar uma lápide em seu jazigo no Cemitério Norte, exatamente a dez metros oeste do seu pai, voltada na mesma direção, e ela marcará o verdadeiro local em que seu filho jaz. Não deve temer porque não marcará nenhuma anormalidade ou o corpo de outra pessoa. As cinzas depositadas naquele túmulo serão as dos seus próprios ossos e carne – do verdadeiro Charles Dexter Ward cujo desenvolvimento espiritual você acompanhou desde a infância –, o verdadeiro Charles com a marca de azeitona no quadril e sem a marca negra de bruxo no peito ou a cova na testa. O Charles que na verdade nunca fez o mal e que terá pago com a vida por seus "melindres".

É tudo. Charles terá fugido e daqui a um ano você poderá instalar sua lápide. Não me pergunte nada amanhã. E acredite que a honra de sua antiga família permanece imaculada, agora como sempre foi no passado.

Com a mais profunda simpatia e exortando-o à fortaleza de ânimo, à calma e resignação, serei sempre

Seu sincero amigo
Marinus B. Willett

Assim, na manhã da sexta-feira, 13 de abril de 1928, Marinus Bicknell Willett fez uma visita ao quarto de Charles Dexter Ward na clínica particular do doutor Waite em Conanicut Island. O jovem, embora sem tentar furtar-se à visita, estava mal-humorado e não parecia disposto a iniciar a conversação que Willett obviamente desejava. A descoberta da cripta e a monstruosa experiência do médico em seu interior evidentemente criava um novo motivo de embaraço, portanto, ambos hesitavam de modo perceptível após uma troca de tensas e escassas formalidades. Então surgiu um novo fator de constrangimento, quando Ward pareceu ler no rosto rígido como uma máscara do médico uma terrível determinação que jamais tivera. O paciente tremia, consciente de que desde a última visita havia ocorrido uma mudança em consequência da qual o solícito médico de família se transformara num impiedoso e implacável vingador.

De fato, Ward empalideceu e o médico foi o primeiro a falar. Ele disse:

— Mais coisas foram descobertas e devo adverti-lo honestamente de que se faz necessário um ajuste de contas.

— Andou escavando de novo e descobriu outros pobres bichinhos morrendo de fome? — foi a resposta irônica. Era evidente que o jovem pretendia exibir uma atitude de desafio até o fim.

— Não — retrucou lentamente Willet —, dessa vez eu não precisei escavar. Mandamos alguns homens vigiar o doutor Allen e eles descobriram a barba postiça e os óculos no bangalô.

— Excelente — comentou o anfitrião, inquieto, arriscando uma espirituosa agressão —, e acredito que ficavam melhor do que a barba e os óculos que o senhor está usando agora!

— Eles ficariam bem melhor em você — foi a resposta tranquila e estudada —, *como de fato pareciam ficar.*

Enquanto Willett dizia isto, foi como se uma nuvem passasse sobre o sol, embora não houvesse nenhuma mudança nas sombras do chão. Então Ward arriscou:

— E é isto que torna tão necessário um acerto de contas? Suponhamos que um sujeito ache conveniente, vez por outra, ter duas personalidades?

— Não — disse Willett gravemente —, engana-se de novo. Não é da minha conta se um sujeito procura uma dupla personalidade, *desde que tenha algum direito a existir e desde que ele não destrua o que o chamou de fora do espaço*.

Ward agora teve um violento sobressalto.

— Bem, meu senhor, o que *descobriu* e o que quer de mim?

O médico esperou um pouco antes de responder, como se estivesse escolhendo as palavras para dar uma resposta de efeito.

— Descobri — declarou finalmente — alguma coisa num armário atrás de um antigo painel onde uma vez havia um retrato e a queimei e enterrei as cinzas no lugar em que deveria estar o túmulo de Charles Dexter Ward.

O louco engasgou e pulou da cadeira na qual estava sentado:

— Desgraçado, a quem você contou — e quem acreditará que era ele após esses dois meses, se eu estou vivo? O que pretende fazer?

Embora fosse um homem de baixa estatura, Willett assumiu nesse momento um ar majestático de juiz, acalmando o paciente com um gesto.

— Não contei a ninguém. Esse não é um caso comum — é uma loucura fora do tempo, um horror que vem de além das esferas e que nem a polícia nem os advogados, nem tribunais nem psiquiatras poderiam compreender ou combater. Graças a Deus a sorte me deixou a luz da imaginação, para que eu não me distraísse até resolver essa coisa. *Você não pode me enganar, Joseph Curwen, porque eu sei que sua maldita mágica é verdadeira!*

"Eu sei que você preparou o encantamento que ficou aguardando todos estes anos e encarnou em seu sósia e descendente; sei que você o arrastou para o passado e fez com que o trouxesse de volta do seu detestável túmulo; sei que ele o manteve escondido em seu laboratório enquanto você estudava coisas modernas e vagava à noite como um vampiro e que você mais tarde se mostrou com barba e óculos para que ninguém desconfiasse de sua ímpia semelhança com ele; sei o que você resolveu fazer quando ele recusou suas monstruosas violações dos túmulos de todo o mundo e *o que você planejou depois,* e sei como você fez aquilo.

"Você abandonou barba e óculos e burlou os guardas em volta da casa. Eles pensaram que era ele que entrava e pensaram que era ele que saía quando você o estrangulou e o escondeu. Mas você não se deu conta dos diferentes contextos de duas mentes. Você foi um tolo, Curwen, em imaginar que uma simples identidade física seria suficiente. Por que você não pensou na fala, na voz e na caligrafia? Sabe, aquilo, no fim das contas, não funcionou. Você sabe melhor do que eu quem ou o que escreveu aquela mensagem em cursivo, mas eu lhe afirmo que aquilo não foi escrito em vão. Existem abominações e blasfêmias que devem ser aniquiladas e eu acredito que o autor daquelas palavras cuidará de Orne e Hutchinson. Uma daquelas criaturas escreveu-lhe uma vez, 'não chame nada que você não possa mandar de volta'. Você já foi destruído uma vez, talvez dessa mesma maneira, e talvez sua própria magia maligna o destrua mais uma vez. Curwen, um homem não pode interferir com a natureza além de certos limites e todo horror que você criou se erguerá para destruí-lo".

Mas a essa altura o médico foi interrompido por um grito convulsivo da criatura à sua frente. Irremediavelmente perdido, desarmado e consciente de que qualquer tentativa de violência física atrairia uma dúzia de atendentes em socorro do médico, Joseph Curwen recorreu ao seu antigo aliado e começou uma série de gestos cabalísticos com seus indicadores, enquanto sua voz profunda e cavernosa, agora sem a falsa rouquidão, berrava as palavras introdutórias de uma terrível fórmula.

"PER ADONAI ELOIM, ADONAI JEHOVA, ADONAI SABAOTH, METRATON..."

Mas Willett foi mais rápido do que ele. Enquanto os cães no quintal começavam a uivar e um vento gélido repentinamente soprava da baía, o médico começou a solene e pausada recitação daquilo que todo o tempo desejara pronunciar. Olho por olho – magia por magia –, que o resultado mostre quão bem foi aprendida a lição dos abismos! Assim, em voz clara, Marinus Bicknell Willett iniciou a *segunda* daquelas duas fórmulas, a primeira das quais levantara o autor daquelas palavras em cursivo – a invocação misteriosa cujo cabeçalho era a Cauda do Dragão, o signo do *nó descendente*.

> "OGTHROD AI'F
> GEB'L – EE'H
> *YOG-SOTHOTH*
> 'NGAH'NG AI'Y
> *ZHRO!*"

Quando a boca de Willett pronunciou a primeira palavra, a fórmula anteriormente iniciada pelo paciente parou de chofre. Incapaz de falar, o monstro agitou violentamente os braços até que estes também pararam. Quando o nome terrível de *Yog-Sothoth* foi mencionado, iniciou a horrenda transformação. Não se tratava de uma simples *dissolução,* mas de uma *transformação* ou *recapitulação,* e Willett fechou os olhos para não desmaiar antes que o resto do encantamento pudesse ser pronunciado.

Mas ele não desmaiou e aquele homem de séculos profanos e segredos proibidos nunca mais perturbou o mundo. A loucura do tempo cessara e o caso Charles Dexter Ward estava encerrado. Ao abrir os olhos antes de sair cambaleando daquele quarto do horror, o doutor Willett viu que não havia esquecido o que retivera na memória. Como ele previra, não houve necessidade de ácidos. Pois, como seu amaldiçoado quadro um ano antes, Joseph Curwen agora jazia espalhado sobre o chão como uma leve camada de fino pó cinza-azulado.

Coleção **L&PM** POCKET

1170. **Emma** – Jane Austen
1171. **Que seja em segredo** – Ana Miranda
1172. **Garfield sem apetite** – Jim Davis
1173. **Garfield: Foi mal...** – Jim Davis
1174. **Os irmãos Karamázov (Mangá)** – Dostoiévski
1175. **O Pequeno Príncipe** – Antoine de Saint-Exupéry
1176. **Peanuts: Ninguém mais tem o espírito aventureiro** – Charles M. Schulz
1177. **Assim falou Zaratustra** – Nietzsche
1178. **Morte no Nilo** – Agatha Christie
1179. **Ê, soneca boa** – Mauricio de Sousa
1180. **Garfield a todo o vapor** – Jim Davis
1181. **Em busca do tempo perdido (Mangá)** – Proust
1182. **Cai o pano: o último caso de Poirot** – Agatha Christie
1183. **Livro para colorir e relaxar** – Livro 1
1184. **Para colorir sem parar**
1185. **Os elefantes não esquecem** – Agatha Christie
1186. **Teoria da relatividade** – Albert Einstein
1187. **Compêndio da psicanálise** – Freud
1188. **Visões de Gerard** – Jack Kerouac
1189. **Fim de verão** – Mohiro Kitoh
1190. **Procurando diversão** – Mauricio de Sousa
1191. **E não sobrou nenhum e outras peças** – Agatha Christie
1192. **Ansiedade** – Daniel Freeman & Jason Freeman
1193. **Garfield: pausa para o almoço** – Jim Davis
1194. **Contos do dia e da noite** – Guy de Maupassant
1195. **O melhor de Hagar 7** – Dik Browne
1196.(29).**Lou Andreas-Salomé** – Dorian Astor
1197.(30).**Pasolini** – René de Ceccatty
1198. **O caso do Hotel Bertram** – Agatha Christie
1199. **Crônicas de motel** – Sam Shepard
1200. **Pequena filosofia da paz interior** – Catherine Rambert
1201. **Os sertões** – Euclides da Cunha
1202. **Treze à mesa** – Agatha Christie
1203. **Bíblia** – John Riches
1204. **Anjos** – David Albert Jones
1205. **As tirinhas do Guri de Uruguaiana 1** – Jair Kobe
1206. **Entre aspas (vol.1)** – Fernando Eichenberg
1207. **Escrita** – Andrew Robinson
1208. **O spleen de Paris: pequenos poemas em prosa** – Charles Baudelaire
1209. **Satíricon** – Petrônio
1210. **O avarento** – Molière
1211. **Queimando na água, afogando-se na chama** – Bukowski
1212. **Miscelânea septuagenária: contos e poemas** – Bukowski
1213. **Que filosofar é aprender a morrer e outros ensaios** – Montaigne
1214. **Da amizade e outros ensaios** – Montaigne
1215. **O medo à espreita e outras histórias** – H.P. Lovecraft
1216. **A obra de arte na era de sua reprodutibilidade técnica** – Walter Benjamin
1217. **Sobre a liberdade** – John Stuart Mill
1218. **O segredo de Chimneys** – Agatha Christie
1219. **Morte na rua Hickory** – Agatha Christie
1220. **Ulisses (Mangá)** – James Joyce
1221. **Ateísmo** – Julian Baggini
1222. **Os melhores contos de Katherine Mansfield** – Katherine Mansfied
1223.(31).**Martin Luther King** – Alain Foix
1224. **Millôr Definitivo: uma antologia de *A Bíblia do Caos*** – Millôr Fernandes
1225. **O Clube das Terças-Feiras e outras histórias** – Agatha Christie
1226. **Por que sou tão sábio** – Nietzsche
1227. **Sobre a mentira** – Platão
1228. **Sobre a leitura *seguido do* Depoimento de Céleste Albaret** – Proust
1229. **O homem do terno marrom** – Agatha Christie
1230.(32).**Jimi Hendrix** – Franck Médioni
1231. **Amor e amizade e outras histórias** – Jane Austen
1232. **Lady Susan, Os Watson e Sanditon** – Jane Austen
1233. **Uma breve história da ciência** – William Bynum
1234. **Macunaíma: o herói sem nenhum caráter** – Mário de Andrade
1235. **A máquina do tempo** – H.G. Wells
1236. **O homem invisível** – H.G. Wells
1237. **Os 36 estratagemas: manual secreto da arte da guerra** – Anônimo
1238. **A mina de ouro e outras histórias** – Agatha Christie
1239. **Pic** – Jack Kerouac
1240. **O habitante da escuridão e outros contos** – H.P. Lovecraft
1241. **O chamado de Cthulhu e outros contos** – H.P. Lovecraft
1242. **O melhor de Meu reino por um cavalo!** – Edição de Ivan Pinheiro Machado
1243. **A guerra dos mundos** – H.G. Wells
1244. **O caso da criada perfeita e outras histórias** – Agatha Christie
1245. **Morte por afogamento e outras histórias** – Agatha Christie
1246. **Assassinato no Comitê Central** – Manuel Vázquez Montalbán
1247. **O papai é pop** – Marcos Piangers
1248. **O papai é pop 2** – Marcos Piangers
1249. **A mamãe é rock** – Ana Cardoso
1250. **Paris boêmia** – Dan Franck
1251. **Paris libertária** – Dan Franck
1252. **Paris ocupada** – Dan Franck
1253. **Uma anedota infame** – Dostoiévski
1254. **O último dia de um condenado** – Victor Hugo
1255. **Nem só de caviar vive o homem** – J.M. Simmel
1256. **Amanhã é outro dia** – J.M. Simmel